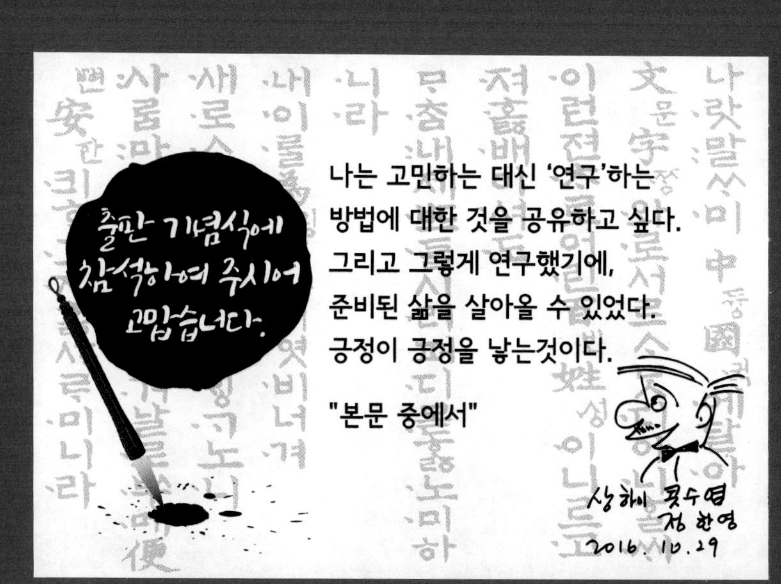
출판 기념식에 참석하여 주시어 고맙습니다.
나는 고민하는 대신 '연구'하는 방법에 대한 것을 공유하고 싶다. 그리고 그렇게 연구했기에, 준비된 삶을 살아올 수 있었다. 긍정이 긍정을 낳는것이다.
"본문 중에서"
상해 꽃수염 정한영 2016. 10. 29

상하이 콧수염의 지구 백바퀴

상하이 콧수염의 지구 백 바퀴

정한영 지음

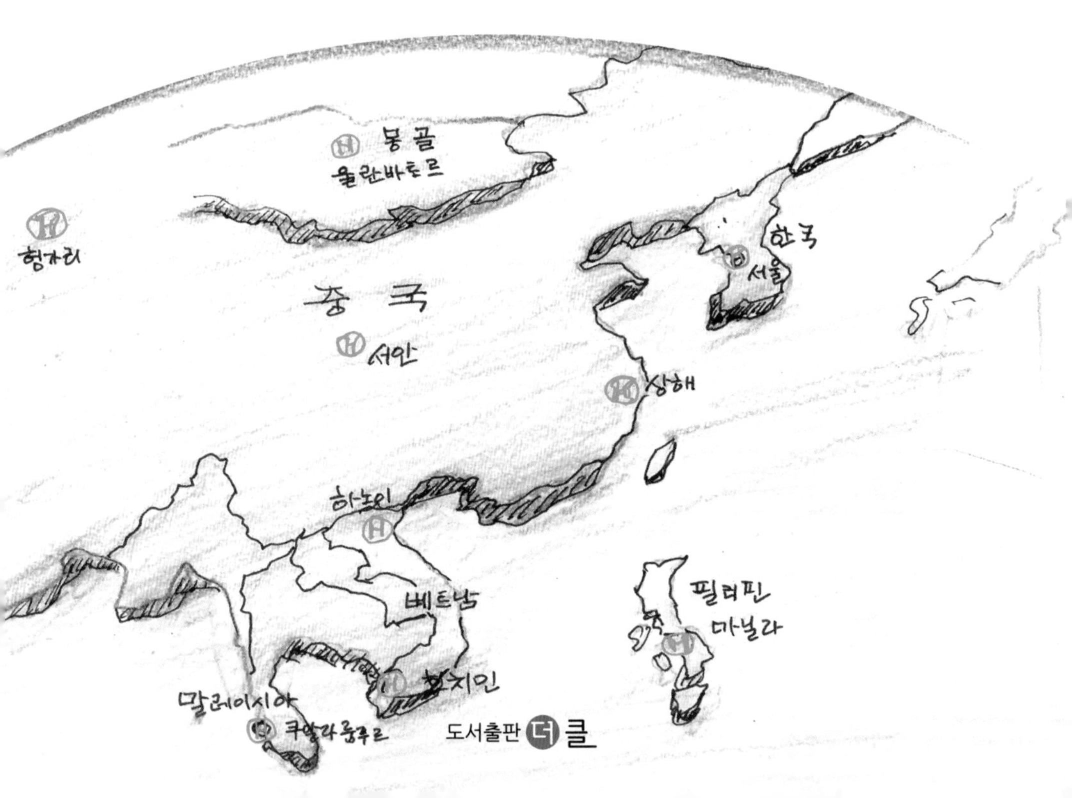

도서출판 더클

정운찬(전 국무총리, 동반성장연구소 이사장)

"상하이 콧수염입니다." 유머러스한 그의 첫인사가 인상적이었다. 반듯한 얼굴에 멋진 수염을 기른 독특한 모습의 정한영 회장은 모든 이로 하여금 마음을 편안하게 하는 사람이다. 알고 보니 수십 년 전 MBC TV 탤런트 공채 출신이라고 해서 더 흥미로웠던 기억이 있다. 그는 현재 7개국에 법인을 두고 일하는 기업인이다.

나와의 인연은 2011년 제주도 세계 7대 자연경관선정 추진위원회 일을 하면서부터 이어졌다. 정한영 회장이 중국 쪽 추진위원장으로 선임되면서 소개를 받았다. 당시 그는 제주도가 세계 7대 자연경관으로 선정되는 데 큰 힘을 보탰다. 그 과정에서 그와 자연스럽게 이런저런 이야기를 나눌 기회가 많았고, 외모만큼이나 드라마틱한 그의 인생 여정을 알게 되었다. 정한영 회장과의 교류는 지금도 이어지고 있다.

정한영 회장과 비슷한 연배의 우리나라 사람들이 그렇듯, 그도 순탄하지 않은 청소년기를 보냈다. 어렸을 때 아버님이 갑자기 돌아가시고 가세가 기울면서 고등학교 진학을 제때 할 수 없었다. 다행스럽게도 그의 성실함을 눈여겨보던 중학교 유도선생님과 교장 선생님의 도움으로 뒤늦게 고등학교에 진학하여 무사히 졸업하고 대학에도 진학했다.

젊은 시절 그는 어릴 적부터 꿈이던 연기를 하기 위해 수천 명의 경쟁을 뚫고 공채 탤런트가 된다. 단역 하나를 맡아도 주눅 들지 않고 치열하게 연기에 매진했다. 하지만 그토록 원하던 배우의 길을 걷기 시작했으나 현실은 그리 녹록하지 않았다. 단역 배우 시절이 길어지면서 가족들의 반대가 점차 심해졌고, 힘들어하는 막내아들을 지켜보던 가족들이 그를 만류하기 시작했다. 결국, 그는 배우의 길을 접고 '아메리칸 드림'을 쫓아 미국으로 건너간다.

새로운 꿈을 찾아간 미국에서의 생활도 별반 다르지 않았다. 청소, 구두수선,

길거리 장사 등 한국에서도 전혀 경험한 적이 없는 일을 닥치는 대로 했다. 그렇게 안 해본 일이 없을 만큼 수많은 직업을 전전하며 힘겹게 대학을 마치고 드디어 그만의 사업을 시작한다. 당시, 사업차 미국과 영국 등 서구 선진국을 직접 체험하며 그는 점차 국제적인 사업가의 역량을 키울 수 있었다. 그즈음 미국에서 만난 교포 여성과 결혼도 하고 예쁜 딸도 셋이나 갖는다.

그는 20세기가 마감되는 시기에 미국 생활을 접고 중국으로 건너갔다. 2001년 상하이에 정착한 그의 중국 생활은 새로운 도전이었다. 빈손으로 건너간 미국이나, 아무런 사전 지식 없이 건너온 중국이나 바닥부터 시작하는 건 매한가지였다. 하지만 정한영 회장은 거칠 것이 없었다. 중국 전역을 종횡무진하며 일했다. 20여 년간 젊은 시절의 어려웠던 경험이 정한영 회장에게 큰 깨달음을 준 듯하다. 그 힘이 태평양 건너 또 다른 대륙 중국에서 인생의 꽃을 피우게 한 밑거름이 된 것이다. 지금은 베트남, 캄보디아, 말레이시아, 몽골에 현지 법인을 둘 정도로 사업을 확장했다. 앞으로 태국, 인도, 미얀마에도 진출할 계획이라고 한다. 삶의 깊은 통찰에서 건져 올린 정한영 회장의 끊임없는 도전은 이렇게 늘 새롭다.

정한영 회장은 환갑이 지난 나이이다. 하지만 늘 새롭게 꿈꾸고 주저 없이 도전하는 정신은 젊은이들의 그것을 뛰어넘는다. 이미 지구 백 바퀴를 돌았다는 그가 다시 백 바퀴를 도는 꿈을 꾼다고 한다. 이 책에는 동아시아의 작은 나라에서 나고 자라 세계 곳곳을 누비며 변화의 격류에 자신을 던져 삶을 개척해 온 정한영 회장의 불굴 정신이 오롯이 담겨있다.

지금은 융합과 창조의 시대라고 한다. 관성에서 벗어나지 못하면 한 걸음도 나아가지 못하는 시대다. 세계를 정복한 칭기즈칸은 “결코 성을 쌓지 말라”라고 했다. 국가단위의 경계를 넘어 세계인의 마인드로 살아갈 젊은이들에게는 이 책이 좋은 간접경험이 될 것이다.

누구든지 자신만의 이야기가 있고, 각자의 드라마가 있다.

2010년 7월 25일 밤, 내 이름이 실시간 검색어 1위에 올랐다. 자주 들어가는 포털사이트에 내 이름이 오른 걸 보니, 기분이 이상했다. 내가 1977년 'MBC 공채탤런트 9기'라서 오른 것도 아니고, 2009년부터 역임한 '상하이 한인회장'이라는 이유로 오른 것도 아니었다. 바로 2010년도 '미스코리아 진'으로 둘째 딸 정소라가 선발된 직후부터 내 이름이 검색되기 시작했다.

정한영이 누구야? 미스코리아 정소라의 아버지로 뜨기 시작하면서 한국 상해 한인회 회장, 탤런트 출신 기업가, 대저택의 소유자 등의 휘황찬란한 수식어로 도배되기 시작하며 인터넷 실시간 검색어 1위에 올랐다. '잠을 자고 났더니 다음날 유명인이 되었다'라는 말을 실감이 나는 순간이었다. 그 후에도 나와 소라가 출연한 JTBC <비밀의 화원> 프로그램이 방송된 후에 '긍정왕 미코아빠', '상하이 콧수염', '상하이 대저택의 소유자 정한영 회장' 등의 수식어로 회자되기도 했다.

누구든지 자신만의 이야기가 있고, 각자의 드라마가 있다. 그리고 그 드라마 속 주인공으로 살아가고 있다. 사람들은 드라마나 영화를 보고 그 속에 나오는 인물들이 실제로 존재하는 것처럼 느끼기도 한다. 하지만 연기자들이 연기하는 인생은 가짜 인생이라고 말할 수 있다. 우리의 삶이 '진짜 인생'이다. 나는 수천 명의 경쟁을 뚫고 공채 탤런트에 선발되었고, 한 때는 연기자가 되기를 바랐었다.

유명한 스타가 되어 멋진 자동차를 타고, 아름다운 여인과 결혼해서 웅장한 저택을 짓고 그곳에서 폼 나는 삶을 꿈꾸었던 시절이었다. 짧은 단역을 하나 맡게 되었을 때, 혹은 배역을 맡지 못했을 때도 주눅 들지 않았다. 대선배들도 겪었던 과정이라고 생각하며 열심히 연기 연습에 매진했다. 그리고 내가 바라던 배우의 길을 걷기 시작했으니 앞으로 이 길만 잘 걸어가면 자연스럽게 스타가 된다고 생각하며 지냈다. 하지만 인생은 내 뜻대로 되는 것이 아니었다. 단역 배우 시절이 길어지기 시작하고, 힘들어하는 막내 아들을 지켜보던 가족들이 나를 만류하기 시작했다. 배우라는 일을 포기하고 싶지 않기도 했고, 가족들이 내가 가고 싶은 길을 알아주지 않는다는 생각에 서운하기도 했지만, 이 길에서 한발 물러서기로 했다. 그렇게 가방 하나 달랑 들고 미국으로 건너갔다.

연기자의 꿈은 못 이루었지만 내 인생은 끝나지 않은 것이었다. 새로운 시작일 뿐이라고 생각했다. 미국에서의 생활도 대본 없는 드라마나 마찬가지였다. '아메리칸 드림'이라는 말은 잠깐 귀에 스쳐 지나가는 남의 이야기일 뿐이었고, 완전히 밑바닥에서부터 일하면서 지냈다. 건물 청소부터 페인트공, 타일 수리공, 구두 수선, 샌드위치 가게, 슈퍼마켓, 카 세일즈맨, 전자공장, 원예농장, 당구장 경영, 온갖 물건을 팔던 벼룩시장과 노점상 장사 등 안 해본 일이 없었다. '개같이 고생하고 개같이 돈을 번다'는 생각마저 들었다. 그래도 한 가지 결심은 마음속에 간직하고 있었다. '훗날에는 꼭 정승처럼 돈을 쓰겠다'고 말이다.

현재 나의 꿈을 이루었다고 본다. 길다고 하면 긴 시간 동안 열심히 살았다. 나 자신과의 약속을 지켰고, 사람들에게서 존경까지 받고 있다. 상하이에 집도 마련했고(방송에 소개된 것만큼 대저택은 아니다), 아름다운 아내에 예쁜 딸들까지. 이 정도면 내 꿈이 이뤄진 것 아닌가 싶다. 나의 소중한 세 명의 딸 중 큰딸(한아름)은 미국에서 변호사 자격을 얻어 현재는 대학교수의 꿈을 가지고 한국에서 박사과정을 준비 중이다. 둘째(소라)는 2010년 미스코리아 서울 '선'을 거쳐 본선에서 그해 한국 최고의 미인인 '진'으로 당선되었으며 현재 고려대학교에 다니고 있다. 한양대에 재학 중인 셋째(유리)는 2012년 미스코리아 서울 '미'에 선발되었으니, 나는 미스코리아 그랜드슬램 진 · 선 · 미 아빠가 되었다. 딸들이 자랑스럽기에 '미코 아빠(미스코리아 아빠)'라는 별칭을 좋아한다.

나이가 들어 지난날을 회상해보니 내 인생은 대본이 있는 드라마였다는 생각이 든다. 앞이 보이지 않고, 생각하지 못했던 일이 생길 때도 잦았지만, 결말을 향해 온 것이다. 나는 내가 만든 드라마의 주인공이고 그 드라마의 '스타'이다. 그동안 지구를 100바퀴도 넘게 돌았을 거리를 오고 다녔다. 실로 엄청나게 이곳저곳을 다녔고, 우리나라를 비롯한 7개 국가에 법인사업체를 설립하여 국제적으로 사업을 할 수 있었다. 1백억이 넘는 계약 건을 양보한 적도 있고, 건설 중에 천장 붕괴사고까지 겪는 등 그동안

20여 개국을 돌면서 많은 일을 헤쳐 왔다.

내 삶에서 가족과 건강, 사업은 정말 중요한 3가지이다. 물론 가족들을 어느 것에도 비할 수 없지만, 셋 중 어느 것 하나 놓치지 않고 유지하려고 노력해왔다. 어릴 적부터 정해둔 삶의 방식이 있다면 정의롭고 반듯하게 행동하는 것이었고 그것이 내게 축복을 가져다주었다고 생각한다. 솔직하게 말해보자면 내가 그만큼 했기에 그 축복이 온 듯하다.

사람들에게 당당하게 말하고 싶다. 나처럼만 한다면, 아니, 내가 말하는 대로 하면 누구나 실패할 확률은 없어질 것이다. 그리고 그걸 글로 써내서 공유하고 싶었다. 그 생각들을 적어 책으로 낸다면 사람들에게 도움이 될 거라 믿는다. 어릴 적부터 그림과 함께 글쓰기도 해왔고, 경험도 많기에 책 몇 권을 낼 수 있다는 자신감도 생겼다. 이제껏 찍어온 사진들을 보며 글을 쓰려고 하니, 별의별 희한한 고생도 참 많이 했고 좋은 일도 많았다는 생각이 든다. 젊어서 고생은 사서도 한다는 말이 있듯, 옛 시절의 고생들은 모두 추억이 되었다.

예나 지금이나 항상 다음 일을 예측하고, 일이 닥치기 전에 준비하는 습관은 놓지 않고 있다. 그리고 긍정의 힘도 중히 여긴다.

해답을 찾기 위해 머리를 싸매고 고민하기보다는 좋은 일을 생각한다. 어떤 일에 대해 고민하는 순간, 부정적인 따리를 틀 경우가 많다. 고민하지 않아도 될 일까지 고민하게 되는 것이다. 해결하고 싶다면 연구해야 한다. 나는 고민하는 대신 '연구'하는 방법에 대한 것을 공유하고 싶다. 그리고 그렇게 연구했기에, 준비된 삶을 살아올 수 있었던 이야기를 들려주고 싶다.

지구를 백바퀴 돌고 나서 생각난 것이 있다. 대한민국에서 태어난 것 자체가 축복이라는 사실이다. 해외에서 활동하고 한인회, 상회 활동까지 했기에 저절로 애국자가 되었을 거란 생각도 들지만, 꼭 그렇지만도 않다. 나는 현재도 한국인이라는 자부심을 품고 최선을 다해 활동하고 있다. 이 글을 읽은 누군가가 나의 애국심을 읽고 함께 애국자가 되기를 바란다.

2016년 가을에

상하이 콧수염, 긍정왕 정한영

목차

01

인생은 드라마,
나는
주인공

첫 대사 까먹고 5천 대 1 합격

내 연기의 첫 대사는 "누나!"였다. 5천 대 1의 경쟁이라고 하는 MBC TV 탤런트 공채 시험에서 시험관의 칭찬과 함께 1차 시험을 가볍게 통과한 나는 자신감에 차 있었다. 2차 시험은 카메라 테스트였는데 상대역(기성 탤런트)이 있어서 실제 연기를 해야 했다. 휘황찬란한 조명의 스튜디오 안 한쪽에는 수많은 연기 지망생들이 있었고, 반대쪽에는 수십 명의 심사위원이 앉아 있었다.

사람들 모두가 긴장과 호기심 어린 눈으로 무대를 보고 있는 가운데 내 차례가 되었다. 나는 마음의 준비를 단단히 하고, 두 장분의 대본을 달달 외운 것을 실력 발휘하기 위해 무대 위로 당당하게 걸어 나갔다. 그리고 상대역인 여성에게 가까이 다가갔다.

그런데 나는 첫 대사를 입 밖에도 내지 못한 채 말문이 막혀 그 자리에 굳어버리고 말았다. 상대역으로 나온 여자가 사람이 아니라 하늘에서 내려온 아름다운 천사로 보였다. 군대를 제대한 지 한 달도 안 되어서 그랬는지 모르지만 '아니 세상에 이렇게 예쁠 수가!' 하고 생각하는 순간, 그동안 수없이 외운 대사를 다 까먹어 버린 건 어쩔 수 없는 일이었다.

대사를 읊어야 할 시간에 나는 그렇게 탈락에 가까워지는 연기를 하고 있었다. 난감하고 당황한 표정으로 서 있던 그 순간. 나를 구출해준 사람은 말문이 막히게 한 장본인이었다. 꿈에서나 만날까말까 한 아름다운 천사의 입술이 열리더니 나에게만 들릴 정도의 작은 목소리로 내 대사를 알려주는 게 아닌가. 아니 이게 꿈인가 생시인가? 혼돈에 빠진 나에게 하늘에서 내려온 천사의 고운 목소리가 나지막이 들려 왔고, 퍼뜩 정신이 돌아온 나는 내가 해야 할 대사를 시작했다. 그리고 남은 분량의 연기와 대사도 천사의 부드럽고 자연스러운 리드에 맞춰 무사히 연기를 마칠 수 있었다. 내 눈에 천사와 다름 없던 아름다운 여성은 바로 당대의 미인 탤런트로 소문난 고두심 씨였다. 고두심 씨는 지금도 예쁘지만, 그때는 세상에서 제일 예쁜 모습으로 인기를 한 몸에 받고 있었다.

그리고 내 차례를 마치고 나가려고 하는데 심사위원 한 명이 나를 불러 세웠다. 잠시 난 주춤했고 천사가 도와준 첫 대사 문제를 들켰나 싶었다.

"자네, 연극 한 적이 있나?"

다행히 그 문제는 아니었다. 연기를 잘해서 칭찬해주는 말로 들렸다. 나는 자신감을 가지고 우렁차게 대답했다.

"아닙니다."
"군대는 다녀왔나?"
"네, 한 달 전에 제대했습니다."

5천 대 1의 경쟁을 뚫고 MBC 공채 탤런트로 확정되는 그 때의 목소리가 아직도 선명하다.

1977년 2월, 군대를 제대한 지 한 달이 되지 않았던 때다. 집에서 뒹굴뒹굴하며 이런저런 궁리만 하던 날, 나의 탤런트 도전기가 시작되었다. 당시 조흥은행에 다니던 넷째 형(규동)이 TV를 보던 중, 신인 탤런트를 모집한다는 자막을 보고는 내게 시험을 보라고 권유했다. 대학을 한 학기만 다니다가 휴학을 했던 터라 복학을 해야 할지 망설이던 중이었다. 중학생 때 영화배우가 되는 꿈을 꿔보기는 했지만, 사촌 형이 영화감독에게 사기당하는 것을 보고는 마음을 접었기에 망설여졌다. 하지만 그건 잠시뿐이었고 이내 '그래 어릴 때의 꿈이었잖아. 한번 도전해봐라!' 라고 소리치는 마음의 목소리가 들려왔다. 그까짓 거 한번 해보는 거지 뭐! 하며 원서를 냈고 며칠 후에 시험을 치렀다.

당시 MBC는 광화문 근처 정동에 있었다. 근처 이화여고에서 1차 시험이 있었는데 전국 각지의 끼와 멋을 한껏 뽐내는 20대 청춘남녀들이 운동장에 발 디딜 틈조차 없이 가득 차 있었다. 나도 응시자면서 족히 5천 명도 넘어 보이는 그들이 신기하게 보였다. 나뿐만 아니라 그 자리에 참석한 사람들도 서로를 호기심 가득한 눈으로 바라보면서 웅성거리고 있었다.

1차 시험은 A4용지에 가득한 대사를 그 자리에서 외워서 연기하는 것이었다. 본격적인 연기라기보다는 리딩테스트 정도였다. 다섯 명씩 한 조를 짜서 방으로 들어가면 시험관 다섯 명이 앉아 있었다. 나는 두 번째 순서였다. 첫 번째 차례의 응시자가 어찌나 떨던지 대기 중인 우리까지 전염되어 다른 응시자는 이

빨까지 딱딱거리며 떨기도 했다. 시험관이 응시자에게 "왜 연기자가 되려고 하느냐"고 묻자, 현재 은행원인데 연기가 정말 하고 싶어서 응시했다고 말하며 울먹였다.

나도 처음에는 떨렸지만, 저 친구보다는 낫겠지 하는 마음으로 살짝 여유가 생기기도 했다. 가다듬고 처음부터 끝까지 외운 대사를 하나도 틀리지 않고 잘 마무리했다. 아주 잘했다는 심사위원의 말이 또박또박하게 들릴 정도로 정말 여유 있게 1차 관문을 통과했다. 스타가 되기가 어디 쉽겠는가? 총 4차까지 통과해야만 하는 과정이었다. 그만큼 시험에 합격하는 것은 말 그대로 하늘의 별 따기 보다 더 어려웠다.

2차로 보는 연기테스트는 기성 탤런트와 짝을 이뤄 상대 배역과 함께 연기하는 것이었다. 혼자 외운 대사로 연습하는 것보다 몇 배나 더 힘들었다. 내 대사만 외우는 게 아니라 상대방 대사도 외우고 있어야 하기 때문이다. 1차에 통과한 응시생들이 대기 중에도 대사를 외우는 소리로 방송국 내 화장실과 복도 등 장소를 가리지 않고 시장처럼 웅성거렸다. A4 두 장 분량의 대사를 몇 십 분 만에 외운다는 것도 어려웠고, 기성 배우와 연기를 한다는 것도 두려웠다. 총천연색의 밝은 조명 아래서 연기평가를 받았던 그때를 생각하면 아직도 후끈거린다.

고두심 선배의 아름다움과 명성에 놀라 외운 대사를 잠시 잊어버리게 되었을 때, 선배의 재치와 배려가 아니었다면 나도 떨어진 5천 명 중 한 명이었을 것이다. 2차 관문 이후, 4차까지 치러진 시험을 모두 통과하고서야 남녀 각각 20명씩 선발되는 MBC 탤런트 공채 9기생이 될 수 있었다. 어릴 때 꿈이 이루어진 순간이다.

1977년 MBC 탤런트 시절(맨 오른쪽이 저자)

나와 함께 합격한 동기 중에는 지금도 활동을 하는 길용우, 신신애, 이원용, 정한헌, 권은아가 있다. 공채 1기 선배로는 이정길, 조경환, 김용건 선배가 있고, 임현식(2기), 김영애(3기). 임채무(6기), 고두심(6기), 이경진(7기) 선배 등 내로라하는 대스타들을 방송국 안 탤런트실과 분장실에서 매일 마주치게 되니 신기하고 자랑스러웠다.

지금이야 내가 연기하는 인생을 사는 게 아니지만, 아무리 생각해도 2차 실기 때의 나의 첫 상대역이었던 고두심 선배의 고마움을 잊을 수가 없다. 평생의 은인으로 생각하고 있었는데 선배와는 정말 놀라운 인연으로 다시 만나게 된다. 이 만남에 관한 이야기는 뒷부분에 나오니 기대해도 좋다.

사람들이 '인생은 드라마고, 주인공은 나 자신'이라는 생각으로 살면 좋겠다. 그런 마음가짐으로 살아야 실수하지 않으려 하고 조심스럽게 사람들과의 관계를 형성할 테니 말이다. 어릴 적 꿈을 모두가 이루는 것은 아니지만, 차근차근 준비하고 사는 자가 꿈을 이루는 주인공이 되어 빛을 낸다고 생각한다. 결과를 위한 예측을 늘 잊지 않고, 그 준비도 소홀히 하지 않겠다는 의식을 가지면 좋겠다.

꿈은 이루어진다. 두드려라, 그러면 열릴 것이다.

병아리 탤런트와 어머니

MBC 공채 탤런트가 된 뒤로, 수개월 간 교육을 거쳐 드디어 TV 드라마에 첫 출연하게 되었다. 그것도 주말에 방송되는 그 유명한 <수사반장>이었으니 첫 출연치고는 화려하게 데뷔하는 것이었다. 당시 대한민국 사람이라면 모두가 본다고 할 정도로 유명한 주말연속극이 아니던가. 최불암, 조경환, 김상순 등 쟁쟁한 선배들이 많이 나오는 드라마에 출연하게 되다니. 나는 길거리에 지나가는 모르는 사람이라도 붙잡고 자랑하고 싶을 정도로 흥분이 되었다.

나와 우리 동기인 9기생 전원이 출연하게 됐는데 출연진들의 맨 마지막에 이름이 올라 있었다. 우리 이름이 올라가 있는 대본을 자랑스럽게 들고 다니며 집에서 보고, 방송국에서 보고,

거울을 보고 연습하며 또 보고 수십 번 수백 번 보아 대본이 닳아질 지경이었다. 드디어 출연하는 날, 우리도 분장실에서 역할에 맞게 분장을 받고 나름대로 멋을 냈다. 우리가 맡은 역할은 카바레 손님 배역이었지만 모두가 얼마나 기쁘고 행복했는지 모른다.

막내아들이 탤런트가 되었다고 동네방네 말을 하고 다니신 어머니에게 방송 날짜를 알려드리며, 내가 출연하니까 꼭 지켜보라고 신신당부를 해두었다. 드디어 방송이 나오는 날, 어머니께서는 텔레비전 앞에서 기다리고 기다리다가 내가 나오는 장면에 잠시 부엌에 다녀오셨다고 한다. 그리고 하필 그때가 바로 내가 나오던 순간이었다.

지금이야 지난 방송을 보는 것은 문제도 아니었지만 1970년대는 그런 것이 없었다. TV가 없는 집이 더 많았던 시절이었으니 말이다. 결국, 어머니께서는 내가 나온 수사반장의 한 장면을 못 보고 돌아가셨다. 어머니를 떠올릴 때마다 가장 아쉽게 생각하는 대목 중 하나이기도 하다. 만약 내가 나오는 장면이 언제쯤 나올지 미리 알았더라면 어머니께서도 텔레비전에 나오는 아들의 모습을 볼 수 있었을 텐데 하는 아쉬움이 남게 되었다.

당시 가장 유명한 드라마에 가장 사랑하고 예뻐하던 막내아들의 첫 출연 장면을 못 보셨으니, 어머니에게 배우의 모습을 보여드리지 못한 거다. 결국 나는 직업만 배우였다.

수사반장에 처음 출연한 후에는 당시 젊은이들이 좋아하는 드라마 <제3교실>에서 재수생 역할을 맡았고, 임진왜란 당시의 도예가들이 일본에 잡혀가서 생활하는 것을 드라마로 만든 <타국>에서는 일본 사무라이 역할을 맡아 박원숙 선배와 함께 출연했다. 역사 드라마에서 선비 역을 했던 기억도 난다. 그렇게 몇 편의 단역에 자주 출연하면서 점점 연예인의 생활에 젖어들었다. 그러면서 선배 탤런트들의 진짜 생활을 보게 되었다. 방송에 나오는 선배 탤런트들은 모두 잘났고, 잘 입고, 잘 사는 줄만 알았었는데 실상은 그게 아니라는 사실을 알게 된 것이다. 외모야 모두 빼어나게 멋지고 예뻤지만 어쩌다 배역을 맡으면 출연하고 배역이 없으면 백수나 다름없는 신세였다. 배역을 못 맡은 선배들은 대기실에서 종일 바둑을 두거나 신문을 보며 하루를 보내는 것도 보았다. 가장 막내 기수인 우리 9기생 신인들은 출연료도 적고 연기력도 말 그대로 햇병아리 수준이었다. 신인들은 적은 출연료를 받아도 창피하지 않지만, 작은 배역조차 없는 선배들은 정해진 월급이 있는 것도 아니라서 어떻게 견디는지 모를 안타까운 현실을 목격한 것이다.

1977년 MBC드라마 '타국' 출연할 때 박원숙 씨와(맨 오른쪽이 저자)

지금도 연기자로 성공한다는 것은 하늘의 별 따기만큼이나 어려운 일이다. 당시 정동 사옥에 매일 출근해서 했던 일은 탤런트실의 벽보를 보고 또 보면서 배역이 언제 나오는가를 기다리는 게 전부였다. 당시에는 내로라하는 선배들이나 우리 9기생 동기들은 전속 계약직이라서 다른 방송사를 갈 수도 없는 처지였다. 길용우를 비롯한 신신애, 권은아, 정한헌, 이원용이 지금의 인기를 얻기까지 십여 년간의 서러운 무명생활이 있었음을 알고 있으니 그들에게 저절로 박수가 보내지는 이유다. 사람들은 인기를 얻은 유명연예인의 화려한 모습에만 박수를 보내고 부러워할 뿐, 그들이 견디어 온 숱한 배고픔과 고독에 대해서는 잘 알지 못한다.

내가 이런 생활을 하는 동안, 우리 형들은 막내 동생인 내가 불쌍해 보였는지 매일 충고 전화를 해왔다. 젊은데 연예계에서 하릴없이 청춘을 썩히는 모습이 안타깝다는 것이다. 가족들의 지속적인 충고와 반대로 결국 나는 탤런트 생활 딱 1년만인 1978년 2월에 미국행 비행기에 올라야 했다. 1년간의 탤런트 생활을 끝으로 미처 커보지도 못한 병아리 연기자 한 사람이 소리 없이 무대를 떠나게 된 것이다. 사랑하는 가족들의 반대로 병아리 탤런트에서 막을 내리고 새롭게 미국에서의 생활을 시작하게 되었다. 탤런트 시절 내가 맡은 배역은 조연이고, 엑스트라였지만 앞으로 펼쳐질 내 인생은 이전과는 다를 것이었다. 나의 인생드라마에서는 내가 극작가이면서 감독이었고, 오직 나 혼자 주연을 맡아 연기하는 것이라고 생각을 하면서 나만의 신대륙인 미국으로 가게 되었다.

뜻하는 대로 풀리지 않을 때, 그 일을 내려놓는 것이 꼭 포기는 아니라는 사실을 알게 된 시간이었다. 포기라고 단정 짓지 말고 주연을 맡게 될 또 다른 드라마가 있고 다른 방송국이 있어서 옮긴다고 생각하면 되는 일이다. 지금 내 인생의 드라마에서 맡은 주연 배역은 무척 마음에 든다.

나는 드라마 주인공이 된 자랑스러운 내 모습을 사랑스러운 어머니에게 보여드리고 싶었다. 이런 생각이 있었기에 미국으로 갈 때 두려움을 떨쳐버릴 수 있었다. 새로운 꿈을 품고 나만의 과감한 승부수를 던진 것이다.

인생은 도전의 연속이다. 계속해서 다시 시작해야 한다.

사랑스러운 어머니

허약한 **왕갈비,**
운동선수 되다

초등학생 때 내 별명은 왕갈비였다. 아마도 어머니의 나이가 많으셨을 때 8남매의 7번째로 태어나 그랬는지 어릴 적부터 허약한 체질이었다. 나는 앞산 소나무 동산의 자연을 벗 삼아 매일 밖에서 놀았는데 그러다 보니 식사도 거르기 일쑤였다. 제때 밥을 안 먹으니 갈비뼈가 훤히 드러나서 왕갈비라는 별명이 자연스럽게 붙여진 것이다.

배명중학교를 입학하자마자 셋째 형(다산학원 설립자인 정규수 회장)이 몸이 허약한 나에게 운동을 하라고 했고, 때마침 학교에 유도부가 신설되어 들어가게 됐다. 학교에서는 운동장 옆에 체육관을 새로 만들고, 휘문고에서 유도를 가르치던 하낙순 선생님을 모셔와 지도를 맡겼다. 그 연유로 교장 선생님과 유도 선생님과의 인연이 이루어지게 되었다. 하 선생님은 점잖은 성품과 탄탄한 몸에 인물까지 좋아서 학생들 사이에서 인기가 많았다.

나는 더우나 추우나 하루도 빠짐없이 열심히 운동했다. 중학교 3학년이 되어서는 학교 대표 선수로 나갈 정도의 실력이 되었다. 동시에 집에 와서는 넷째 형을 따라 합기도까지 시작했다. 학교에서는 유도를 집에 와서는 합기도장에 가서 운동했다. 하루에 거의 4시간 정도 운동을 하다 보니 중학교 3학년 때는 유도와 합기도 검은 띠를 땄고, 몸도 마음도 건강해졌다. 원래 싸움을 싫어해 일부러 싸우지는 않았지만 만약에 싸울 상황이 생겨도 이길 수 있다는 자신감이 넘칠 때였다.

중학교 3학년을 마칠 무렵 아버님이 돌아가셨다. 가장이 갑자기 쓰러진 충격 속에 간신히 중학교를 졸업했다. 고등학교 입학시험에는 합격했지만, 나의 입학금으로 쓸 15,000원이 없어서 진학을 포기해야만 했다. 셋째 형이 대학 다니다가 월남에 자원입대하여 파병한 돈으로 가족들 생계를 책임지려 했으니 살림이 얼마나 어려웠는지 짐작할 수 있을 것이다. 친구들은 고등학교 1학년에 재학 중일 때, 나는 열심히 운동한 덕으로 합기도 2단이 되어 합기도장에서 아이들을 가르치며 관장님 일을 거들어 주었다.

비좁은 집에 있어 봐야 빈둥거리기만 하니, 도장에 나와서 좋아하는 운동을 할 수 있어서 다행이었다. 시간만 나면 관장님을 모시고 연습을 하고 사람들을 가르치며 지내게 되니 운동 실력이 남보다 항상 앞서가게 되었다.

허약한 체질을 바꾸게 한 합기도 2단 승단기념(오른쪽이 저자)

당시 어려운 집안을 위해 막노동을 해볼까 해서 부천에 있는 미군 부대 목수 조수도 잠깐 해보았고, 호텔에서 종업원 일을 해볼까 생각한 적도 있을 만큼 어려운 시절이었다. 그렇게 하루종일 운동을 가르치며 시간을 보내다가 여름방학이 시작될 때쯤이었다.

“너 지금 방학이지?”

합기도 6단이신 관장님이 나에게 물었는데 그냥 "네!"라고 대답했다. 학교에 다니지 않는다고 말하기가 창피해서였다. 관장님은 잘됐다고 하면서 나더러 경남 마산에 가보라고 했다. 합기도 4단인 선배가 마산에 도장을 차렸는데 한 달 만에 학생 수가 150명이나 되어서 감당하기 힘들다고 도움 요청을 했다고 한다. 나는 속으로 잘 되었다, 서울에서는 학교도 못 다니니 차라리 한 번도 가보지 못한 마산이라도 가보자고 결정을 하고 선배를 따라나섰다. 나는 언제나 마음으로부터 결정하면 바로 행동으로 옮기는 성격이었다.

선배 관장을 따라 마산에 도착한 내가 안내받은 곳은 큰 철재 대문의 집이었다. 대문이 열리자마자 내 눈은 휘둥그레졌다. 마당에는 잔디밭이 넓게 펼쳐져 있고 한가운데 연못에는 금색 잉어들이 놀고 있었다. 난생처음 보는 아름다운 저택이었다. 안내받은 3층 방 창문으로는 마산 앞바다가 훤히 보였다. 선배가 아는 분의 집이었는데, 나중에 알고 보니 대통령 경호를 맡은 박종규 경호실장의 본가였다. 나는 새도 떨어뜨린다는 권력자의 집에서 2개월 동안 머물렀다. 사범으로 있는 동안 아침저녁으로 잔디밭과 꽃들로 둘러싸인 연못가를 서성거렸다. 연못에서 유유히 헤엄치는 금색 잉어와 푸른빛의 마산 앞바다를 보면서 다짐했다. 그래 나도 나중에 어른이 되면 잔디밭과 꽃으로 둘러싸인 연못이 있는 큰 집에서 아내와 아이들과 살겠다고 말이다. (40년 후에 상하이에 집을 사게 되었을 때, 경호실장의 집을 모티브 삼아 꾸미게 되었다) 나는 어린 나이였지만, 사범으로서 4단이신 관장님을 모시고 150명을 가르치며 두 달여 간을 지내게 되었다.

8월 말이 되어 개학이 다가왔고 나는 다시 갈 곳이 집밖에 없었다. 어디라도 가서 일하고 싶다는 생각에 궁리하다가 좋은 생각이 떠올랐다. 나는 무슨 일을 궁리하면 답이 나오는 경향이 있다. 나에게 처음으로 유도를 가르쳐 주었던 중학교 때 하낙순 선생님(유도 8단)을 찾아뵙고 상의해야겠다는 생각이 들었다. 선생님도 어릴 적에 가난해서 밥도 못 먹고 운동하느라 고생을 많이 하셨다고 들었다. 그러한 어려움을 극복하고 유도 선생이 되어 우리를 가르치게 되었다고 하신 이야기가 기억난 것이다. 이런 선생님이라면 내게 도움을 주시지 않을까 하는 생각이었다.

나는 곧바로 내가 다녔던 배명중학교 주소로 하낙순 선생님께 장문의 편지를 보냈다. 학교에 다니고 싶지만 내 처지로는 곤란하다는 내용으로 썼고, 염치없지만 도와주시길 바랬다.

나중에 안 사실인데 당시 선생님은 학교를 떠난 상태였고, 학교에서 내 편지를 다시 선생님께 보내 주어서 결국 받아보셨다고 했다. 선생님은 결혼 후 사모님이 있는 부산으로 가서 큰 식당을 운영하고 계시다가 내 편지를 받아보게 된 것이다. 편지를 받아 본 선생님은 한달음에 나를 찾아 서울로 오셨다. 내 머리를 어루만지며 “궁하면 통한다”는 말씀을 하셨다. 선생님은 배명고등학교 조용구 교장 선생님을 찾아가서 “이 학생이 유도를 잘하니 유도 특기생으로 받아 주십시오”하고 추천했다. 언제 준비했는지 학교에서 요구하는 서류까지 꼼꼼하게 챙겨서 제출해 주셨다. 교장 선생님도 하낙순 선생님과 나를 보더니 운동과 공부 열심히 하라며 흔쾌히 받아주셨다.

두 분의 선생님은 나에게 참 스승님이고, 지금의 내가 있기까지 두 분 선생님의 은혜가 가장 컸다고 고백한다. 그렇게 10월의 마지막 날, 나는 그토록 입고 싶었던 교복을 입고 배명고등학교에 가게 되었다. 그리고 대학(고려대) 배지도 달게 되었다.

허약한 몸을 바꾸려고 시작한 유도가 고등학교도 못 다닐 뻔했던 나를 구해주었고, 건강한 몸과 마음까지 만들어 준 것이다. 인생은 드라마고, 나 자신이 그 드라마의 주인공이다. 나를 만드는 것은 바로 나다.

NEVER GIVE UP! 절대 포기하지 마라.

운명 같은 50+50의 결혼

미국에 와서 10년 동안 혼자 지내고 있었던 나는 아내와 만날 수 없는 운명이었다. 동시에 반드시 만나게 될 운명이기도 했다. 아내를 처음 소개받기로 한 날, 나는 약속장소에서 몇 시간을 기다렸으나 그녀의 얼굴도 못 보았다. 이것은 명백한 퇴짜였고 자리를 주선해준 친구에게 재차 연락도 하지 않았다.

그 숨겨진 사연은 이렇다. 내 친구의 아내가 내게 물어왔었다.

"제 친구가 한 명 있는데요. 만나 볼 생각 있어요? 나이는 스물아홉이에요."

"너는 올해 서른여섯이니까, 우와! 나이 차이도 딱 맞네."

친구는 그 말에 맞장구쳤고, 부부는 약속이나 한 듯이 동시에 손을 올리고 하이파이브를 했다. 나보다 친구가 더 신나 보였다.

닷새 후, 친구 부부와 약속한 시각에 캘리포니아 주 산호세(실리콘 밸리)에 있는 레스토랑에 갔다. 약속 시각이 오후 두 시였는데 시간이 한참 지나도 아무도 나타나지 않았다. 노총각이 나이를 먹으면 자존심만 높아진다는데 나는 자존심이고 뭐고 다 내려놓고 1시간을 넘게 기다렸다. 퇴짜를 맞았다는 생각에 한동안 기분이 나빠 있었다. 할 수 없이 그 자리를 떠나면서 소개해준 이에게 연락도 하지 않았다.

세월은 화살같이 지나간다더니 소개팅 날 바람을 맞은 후 1년이 훌쩍 지났다. 그리고 어느 날 식당으로 점심을 먹으러 갔다가 그 친구를 다시 만나게 되었다.

"이거 어쩌지? 그때 우리 아내가 친정에 일이 생겨서 그 친구한테 물어보지도 못했었나 봐. 그 아가씨는 너랑 만나는 것도 모르고 있었던 거지. 어제 알아보니까 그 아가씨 아직도 결혼 안 했고 남자친구도 없대. 너만 괜찮다면 다시 자리를 마련해볼게."

하여 단둘이 다시 약속을 잡았는데, 그녀를 만난 순간 나는 어떤 운명을 느꼈다. 노총각인 내 눈에 보이는 그녀는 밤하늘의 보름달처럼 환하게 예뻤고, 새하얗고 고른 치아에 밝은 미소가 돋보이는 아름다운 아가씨였다. 행운인지 그 아가씨도 나에게 호감이 있어 보였고 우리는 자주 만나게 되었다. 우리가 사귀기 시작한 지 6개월쯤 되었을 때 셋째 형과 형수님이 한국에서 미국 산호세로 오셨다.

"한영아! 너 사귀는 여자가 있니?"

형은 나를 보자마자 잘 있었냐는 인사도 않고 대뜸 물었다. 나이가 든 노총각이 결혼을 안 간 건지 못 간 건지 미국땅에 혼자 있으니 걱정되셨나 보다. 당사자보다 어머니를 비롯해 어른들이 더 신경 쓰는 것은 예나 지금이나 마찬가지일 것이다.

"예. 사귀는 사람 있어요."
"결혼해야지."
"글쎄요."

그때 내가 왜 우유부단하게 표현했는지 지금도 이해가 가진 않는 부분이다.

"오늘 저녁에 식사하자. 그 아가씨 오라고 해봐."

당시 산호세에서 가장 높은 17층 건물에 있는 스카이라운지로 갔다. 함께 저녁 식사를 마치고 인사치레와 대화가 오간 후 우리 두 사람을 보면서 형이 말했다.

"한영아. 너 50점, 아가씨 50점 합쳐서 50+50=100점이다. 둘이 합해서 100점을 만들며 살아가는 거야."

이렇게 얘기하지 않는가? 나는 뒤통수를 얻어맞은 느낌이 들었다. '그렇지! 나는 이때까지 100점만 찾았구나!' 내가 100점이 아닌데도 완벽한 사람을 찾았다니 말이다. 세상에 그런 사람이 어디 있겠냐? 형의 말이 맞다는 생각이 들었다. 우리 둘이 서로 비슷해 보였나보다. 부족한 점이 있더라도 서로 거들어가며 100점을 만들라는 말이기도 했다. 결혼에 대한 구체적인 생각이 없던 내게 형의 귀중한 그 말이 얼마나 귀에 쏙 들어왔던지. 나는 바로 결혼을 결심하게 되었다. 나는 언제나 마음의 결정을 내리면 즉시 실행에 옮기는 성격이었다.

우리나라 서울에서 88올림픽이 열리던 1988년 4월 1일에 아내와 나는 미국에서 약혼식을 올리고, 바로 한국으로 들어와서 4월 30일에 결혼식까지 치렀다. 우리들의 신혼여행지는 제주도였다. 둘 다 미국에 살던 터라 한국의 풍경을 조금이라도 더 보고 싶어서 신혼여행을 제주도로 잡았다. 제주도에서 꿈결 같은 시간을 보내고 미국으로 돌아와서 신혼살림을 차리고 바로 세 딸을 낳았다. 이게 인연이었던 건지 그 후 나는 30여 년 뒤(2011년)에는 제주도를 위한 일을 하게 되었다. 우리 부부가 숙명처럼 만날 수밖에 없었다는 생각마저 들게 했다. 세상에서 맺어질 인연은 다 맺어지는 법인가 보다.

운명 같은 50+50의 결혼(주례-조용구 교장 선생님)

우리 부부의 이야기가 드라마라면, 보는 시청자들도 애가 탔을 거다. 만약에 나와 아내가 처음에 만나지 못한 날 이후 1년 사이에 다른 사람을 만났더라면 우리는 영원히 만나지 못했을 것이다. 나도 아내도 새로운 인연 없이 각자 열심히 살고 있다가 더 성숙해져서 만났다는 생각에 감사하다. 1년이 지난 후에 친구와 다시 마주치지 않았더라도 역시 나와 아내는 역시 만날 수 없었다. 다음 장에 나올 대본은 누구도 아직 모르지만, 오늘 대본에 충실해야 다음 장으로 넘어갈 수 있다는 사실은 알고 있다. 내 인생 드라마에서 가장 명장면을 꼽으라면 사랑하는 아내와 인연이 된 것이라고 자신 있게 말하고 싶다.

결혼을 하고자 하는 사람들이 있다면 두 사람이 서로 부족한 점을 합쳐 보라. 100점이 되는 인연을 만들면 나처럼 변호사도 만들고, 미스코리아도 만들 수 있으니 주저하지 말고 결혼을 하길 바란다. '결혼은 해도 후회하고 안 해도 후회한다'는 말이 있는데 그럴 바에는 결혼하는 것이 좋지 않겠는가.

내 인생은 내가 만드는 것이다.

미스코리아
진·선·미
아빠

소라는 미스코리아 후보 56명 중에 배정번호 55번을 받았다. 1차 관문인 15명을 뽑는데 마침 동점자가 있어 16명이 되었다. 40여 번까지 불렀을 때 15명이 불렸고, 이제 한 명만 더 본선에 들어갈 수 있는데 아직 불리지 않은 후보들이 10명 정도 남아 있었다. 이때 정말 온 신경이 졸아드는 느낌이었다. 남은 10여 명 중 한 명을 선택하면 바로 끝나게 되는 것이었다. 55번은 거의 마지막 번호이라 더 긴장되었다. 그리고 사회자인 김수로가 "마지막 남은 한 명을 부르겠습니다"하고 외쳤다. 이어 "번호 55번!"을 크게 외치며 발표하자마자, 나는 안도의 한숨을 쉬었다. 아직 최종 결승도 아니었는데, 장내는 내 숨소리가 들릴만큼 소리를 죽이고 있었다.

가족들도 엄청나게 긴장했었는데, 소라 본인은 얼마나 더 했을까. 1차 관문을 무사히 통과한 뒤 2부 순서 시작 전 잠시의 휴식과 공연이 끝나고, 7명의 후보를 다시 심사했다. 조금 전 1차 관문을 통과할 때보다 점점 더 긴장과 열기가 더해졌다. 소라는 끝 번호라서 이번에도 애를 태우다가 또 마지막에 불렸다. 냉방기는 거세게 돌아가고 있었지만, 세종문화회관 내 300여 명의 관중석은 열기로 후끈하기만 했다.

이제 마지막 남은 7명 중 진 1명, 선 2명, 그리고 미 4명을 뽑는 일만 남았다. 먼저 미 4명을 선발했다. 이때는 이름이 먼저 불리면 떨어진 느낌을 받을 만큼 기분이 나쁘겠다는 생각을 해보기도 했다. 우리나라에서 최고 미인 7명 안에 든다면 좋기만 해야 할 텐데 역시 사람의 욕심은 끝이 없다는 생각도 들었다. 딸이 미스코리아 본선에서 최종결승까지 갔으니 누구라도 미를 부를 때 안 불리기를 바랐을 것이다. 일단 4명의 미에서는 부르지 않았다. 이제 남은 세 명 중에 두 명은 미스코리아 선이 되고 한 명만이 진이 되는 순간이다. 이번에는 진의 이름을 불러서 다른 두 명은 자동으로 2등인 선이 되는 것이었다. 세 명의 후보들도 속이 타들어 갔겠지만, 우리 가족을 포함한 관객들 모두가 숨도 제대로 못 쉬며 사회자 입만 쳐다보고 있었다. 사회자는 긴 한숨을 내쉬는가 싶더니 약간의 뜸을 들였다. 곧 장내가 떠나갈 듯이 큰소리로 외쳤다.

"2010년 미스코리아 진! 55번 정소라!"

무대에서는 빵빠레가 울리면서 오색 종이가 날렸다. 당선된 자와 안 된 자의 희비가 교차하는 장면이 이어졌다. TV를 통해서도 많은 분이 보고 있었을 것이다.

"정소라"라는 이름이 들리자마자 소라 엄마와 나는 두 손을 번쩍 들고 만세 하면서 흐르는 눈물을 감추지 못했다. 게다가 얼마나 흥분했던지 뒷자리 형들과 만세를 부르며 손뼉을 치고 난리를 피우며 온몸으로 기쁨을 만끽했다. 후에 부모인 나와 아내가 카메라에 잡힌 것을 보았지만, 그 자리에서 영광을 맛본 것에 비할 바가 아니었다.

그제야 무대를 똑바로 보았다. 소라도 활짝 웃는 얼굴로 2010년 최고의 한국 미인 왕관을 머리에 쓰고 무대를 걸어 다니고 있었고, 청중들에게 인사하며 본인도 '진'이 된 것을 실감하고 있었다. 정상에 오른다는 것이 얼마나 힘든 일인지 본인이 가장 잘 느끼고 있었을테지만, 아내와 나도 옆에서 얼마나 가슴 졸이며 응원을 했었던가. 나는 누가 묻지도 않았고 준비하지도 않았던 감사인사가 터져 나왔다.

“우리 정씨 가문의 영광이요, 우리 가족의 영광입니다. 조상님과 부모님께 감사드립니다. 그분들이 안 계셨다면 이런 즐거운 일이 있겠습니까? 지금 우리 가족과 함께 하는 형제들 여기 이 자리를 빛내주기 위해 찾아주신 모든 분께 감사드립니다. 멀리 타국에서 대회를 보고 있는 큰딸 아름이와 누나과 여동생, 친척 분들께도 감사드립니다.”

누구에게 어떻게 감사인사를 하는지도 모른 채 중얼거리며 기뻐하고 감사했던 기억이 생생하게 떠오른다. 혹시 배가 아플지도 모를 독자들이 있겠지만, 귀댁의 자녀가 미스코리아 진이 되면 나보다 더 기뻐할 것으로 생각한다.

둘째인 소라는 미스코리아 진에 오르기 전에 미스 서울에 도전해서 미스 서울 선으로 먼저 데뷔했다. 미스 서울 선이 되고 나서 미스코리아 본선 대회에 출전을 하여 결국 진이 된 것이다. 셋째인 유리도 2012년 미스코리아 서울 미가 되었으니 나는 미스코리아 그랜드슬램 진·선·미 아빠가 확실히 맞다. 한자매가 진선미 왕관을 차지하여, 사람들은 세계적으로도 흔치 않을 일일 것이라며 나를 한껏 추켜세우기도 하였다. 그 후 미코(미스코리아) 아빠란 별명이 하나 더 늘었다. 상하이 콧수염과 미코 아빠로 언제나 통한다.

2010 미스코리아 진 정소라

내 인생 대본에는 내가 결혼하기 전에 꿈꾸던 여러 가지 계획과 여러 가지 꿈이 있고, 꼭 이루겠다는 각오를 하고 많은 것들을 이루었다. 그런데 딸들을 낳아서 미스코리아로 만들겠다는 생각은 해 본 적도 없었고 상상도 하지 않았던 일이다. 그런데 주변 사람들로부터 "예쁜 아내와 결혼해서 세 딸 모두 예쁘다"는 말을 자주 들었다. 가장 많이 들었던 말이 미스코리아 대회에 나가라는 것이었고 나도 어느 날부터인가 딸들이 미스 코리아가 되는 대본을 쓰기 시작한 것이다.

누구도 앞으로 생길 일들에 대해 예측할 수 없다. 하지만 스스로든 주변에서든 잘한다고 평가받는 부분이 있다면 그쪽으로 더 많은 연구와 준비를 하면 좋을 것이다. 그래서 작은 가능성이라도 보이면 대본을 써놓고 그에 걸맞은 연기까지 해보라고 말하고 싶다. 나와 아이들이 산증인으로서 말해주는 부분이니, 잊지 말고 실행했으면 좋겠다.

뻥 뚫린 집에 입주하다

중국에서 단독주택을 구매하게 되면 집 안에 아무것도 없다고 생각하면 된다. 한마디로 짓다가 만 빈집과 같다. 한국의 아파트 구조는 벽지와 모든 내장재를 포함한 가구까지 같이 구성되어 있는데, 중국은 다르다. 벽지는 물론이고 화장실 양변기도 설치되어있지 않았다. 회색 콘크리트의 빈 건물에 뻥 뚫린 골조만 있는 집이다.

중국에서는 '모페'라고 하는데 살고 싶은 사람이 알아서 장식하는 구조다. 아파트도 그렇게 시공하는 경우가 많다. 같은 단지의 같은 평수 아파트라고 해도 겉모양만 같을 뿐, 문을 열고 들어가면 집안의 구조는 천차만별이다. 돈을 적게 들이면 간단하게 장식을 하고 사는데, 돈이 많고 꾸미길 좋아하는 사람들의 집은 아방궁을 방불케 할 정도로 화려하다.

그래서 중국의 신규 아파트는 입주한 후에도 거의 수년 동안 인테리어 공사 소음이 울려 퍼진다. 한국처럼 일괄 입주하는 것도 아니라서 기약 없는 소음소리에 스트레스가 이만저만이 아니었다. 놀라운 사실은 그 소음에 항의하는 사람이 별로 없다는 것이다. 여유만만의 중국인 특성 때문인지 이웃집이 무얼 하든지 그러려니 했었다. 만약 한국이라면 관리소와 경찰서에 전화를 걸어 난리를 치기도 하고, 고소를 남발할 수 있었겠다는 생각이 들어 웃음 짓기도 했다. 중국 관습의 일종으로 이사하거나 새로이 사업을 시작하거나 큰 명절날 무지막지하게 폭죽을 터트리는데 한동안 이해를 못 했었다. 최근에는 화재 등에 조심하여 많이 줄었다고 한다. 중국인의 삶 속에서 그러한 너그러움과 여유를 배우게 된 것을 고맙게 생각한다.

나는 한인 타운(현재의 홍첸루 주변을 가리킨다)과 가까운 곳에 있는 별장단지 안에 있는 집 한 채를 2004년에 샀다. 그 당시 가격은 생각보다 저렴했다. 그 후에 집 가격이 오르기 시작하였다. 지금 생각하니 정말 그때 구매하기를 잘했다고 생각한다. 가족하고 상의하여 완전히 이주한다는 생각으로 미국 집을 정리하고 중국에서 집을 구매한 것이다. 단독주택만 모여 있는 곳이라 조용해서 좋았고, 단지 내 나무들이 울창한 공원을 끼고 멋지게 자리 잡은 곳이었다. 회사와 홍차우 공항이 가까운 점도 좋았다.

중국의 새집 사정을 잘 몰랐던지라, 처음 입주했을 때는 많이 황당했었다. 하지만 곧 나와 가족이 평생을 이 집에서 살아야겠다는 생각이 들면서 이 빈집을 내가 평소에 생각하고 있던 대로 멋지게 꾸미겠다는 생각을 했다. 마치 대본 없는 시나리오를 받아들고, 마음대로 내용을 바꿔 연기하는 것처럼 여길지도 모르겠다. 앞에서도 얘기했듯이, 나는 잠시 머물렀던 1970년 당시 대통령 경호실장의 집을 보며 나도 커서 멋진 집을 소유하겠다는 꿈을 꿨었다. 연못이 있고 푸른 잔디가 펼쳐진 3층 이상의 집을 짓겠다고 마음먹었기에 이제는 그것을 실행하고자 했다.

일단 상하이에서 인테리어 관련 책을 수십 권을 산 뒤에 연구하기 시작했다. 뭘 알아야 대본을 쓸 게 아닌가. 말도 잘 통하지 않는 중국의 인부들에게 이것저것 요청하는 문제는 쉽지 않았다. 공사에 필요한 상식과 처리기준이 한국 문화와는 달라서 애를 많이 먹었다. 한번은 누전으로 불이 붙은 적도 있었다. 하마터면 통째로 새 집을 날릴 뻔 한 아찔한 일이었다. 어려운 점이 한두 개가 아니었으나 끝내놓고 보니 어디에 내놓아도 손색

이 없을 정도가 되었다. 내가 꿈꾸던 나만의 집이 완성된 것이다.

이 집의 특징은 실내에 주택용 엘리베이터가 있다는 것과 2층과 3층 일부 공간을 터서 천정을 높게 만들고, 그 천정에 파란 하늘과 구름이 떠다니는 그림을 그려 넣었다는 점이다. 채광과 환기를 위해 유리창을 많이 설치하고, 주거 공간 대부분에는 고급스러운 느낌의 홍옥을 깔았다. '홍옥'은 숨이 통하는 대리석으로 보통 벽 장식으로 쓰이는데 나는 바닥에 깐 것이다. 그리고 상하이 겨울은 습기가 너무 많아 몹시 춥기 때문에 바닥에 보일러를 설치했다. 엘리베이터와 대리석 공사는 하중과 대형설비로 인해 주택의 안전성에 큰 영향을 주는 문제이기에 전문가의 판단도 구하고, 또 여러 전문 건축현장에서 익힌 기법을 총동원해서 꼼꼼하게 시공했다.

마당에는 천연 잔디를 깔고 대문은 유럽풍으로 두 기둥을 만들어 윗부분을 금색으로 칠했다. 뒤쪽으로는 식물원처럼 2층 높이의 유리로 뒤덮인 공간을 만들어 외벽과 이어 놓았다. 비가 오면 흘러내릴 수 있게 비스듬히 각도를 만들어 놓았는데 무더운 한여름에 3층에서 그쪽으로 물을 뿌리면 실내온도가 떨어지는 효과도 있어 일석이조였다. 비 내리는 날이면 그 공간에서 가족과 시원한 음료나 커피를 마시며 행복에 젖어있기도 한다. 집안 인테리어도 연구해서 잘 꾸며놓았고 공간 활용도 최대한 잘해놨다고 자부하는 집이다.

내가 꿈꾸던 집이자, 한인 타운 내에 있는 우리집

한국인이건, 중국인이건 우리 집을 방문한 사람들은 훌륭한 집이라고 하나같이 칭찬을 해주었다. 아무것도 없는 빈집이었을 때부터 공부하고 연구해서 근 1년 동안 하나씩, 온 힘으로 공을 들인 효과가 나는 것이다. 소라가 미스코리아 진이 되었을 때 상하이 우리 집 사진이 인터넷과 언론에 공개되면서 한동안 '대저택'으로 소개되기도 했다. 언론에 나온 것처럼 그렇게 대저택은 아니다. 단지 내의 공원이 우리 집 바로 뒷마당과 이어지게 사진을 찍으면 집 뒤편에 있는 넓은 공원까지도 우리 집 정원으로 보여서 실제보다 더 크게 소개된 것 같다.

나 역시 사람들 말대로 훌륭한 집이라고 생각한다. 우선 편하기도 하고, 어릴 적부터 꿈꾸던 집에서 사는 것 같아서다. 하지만 그보다 더 의미 있는 게 있다. 아이들이 학교에 다니면서 본격적인 교육을 받던 중 · 고등학교 성장기에 함께 살고 가꾼 집이어서 그렇다. 가족의 추억이 고스란히 담겨 있는 집이니 애착이 가는 것은 당연하다. 집 주변을 걷기도 하고 자전거를 타기도 하면서 옛날에 새겨놓은 아이들 이름을 발견할 수 있는 곳은 이 세상에 하나뿐인 나와 가족들만의 대본이 아니겠는가. 아직 아이들이 어린 집이 있다면 아이들과 함께 집에서 많은 추억을 만들어 보기를 권한다.

평소에 원하던 것을 이루기 위해 반복해서 말하고, 노력하면 말하는 대로 되는 것이다.

내 별명은 **진드기**

1996년 미국 오리건주에 한국 대기업(H사)이 거대한 투자를 하여 큰 공장을 짓게 되는데, 공사 총괄은 독일회사(M&W)가 맡게 되었다. 나는 10년 전에도 캘리포니아 주 실리콘 밸리에서 대기업 삼성이 미국에 최초로 진출하여 공장을 짓는 것에 참여한 적이 있다. 그리고 경험을 바탕으로 한국 대기업인 H사의 공사 일을 하고자 했다. 비가 오나 눈이 오나 한달을 쫓아 다니면서 영업을 하여 공사를 맡은 M&W 회사로부터 공사를 수주하고 미국 58개 회사와 함께 공사하고 있었다.

거의 1년 동안 공사하던 중에 한국 대기업과 독일회사 간 공사대금 지급 건으로 소송이 붙게 되면서 우리 하청 업체들도 덩달아 대금 지급을 못 받게 되는 일이 발생했다. 우리 회사를 포함해 59개 하청업체는 M&W와 계약이 되었으므로 그 회사와의 지루한 법정싸움이 시작된 것이다. 소송이 길어지면서 1~2년이 지날 때는 회사 대부분이 떨어져 나가게 되었다. 3~4년이 지나고 남은 한곳과도 소송이 마무리되면서 58개 업체는 정리가 되고, 결국 나만 남게 되었다.

나는 사업뿐만 아니라 모든 일을 시작하게 되면 중간에 포기한 적이 거의 없다. 사업에서 중요한 요소는 매우 많지만 결국에는 '돈'이다. 돈을 벌어야 사업하는 것이지 돈을 벌지 못하면 바로 망하는 것이 아니겠는가. 다들 그러한 경험이 없으면 좋겠지만 일을 하고도 돈을 받지 못하는 일들이 생긴다. M&W와 분쟁이 생겼을 때 정당하게 일한 대가를 달라는 것이었지 별도의 이익을 챙기려는 것이 아니었다. 그렇게 여러 회사와 함께 소송에 들어갔지만, 장기간의 법정싸움에 모두 포기하고 돌아섰다. 하지만 나는 억울해서라도 포기할 수 없었다. 상대 회사가 망해서 주지 않는 게 아니라, H사와 M&W 양측의 추가공사비로 소송중이라는 문제로 대금을 못 주겠다고 하는 것이니 안 받을 이유는 없었다.

나는 '진드기'처럼 달라붙어 떨어지지 않으려 했다. 진드기는 내 어릴 적 별명이기도 하다. 무엇을 할 때 진득하게 달라붙어

끝장을 보고야 마는 성격 때문에 생겼다. 친구들과 형은 나에게 "야! 너 완전히 진드기다, 진드기!"라고 불렀다. 나무 줄기나 잎에 바짝 달라붙은 벌레 이름이긴 하지만, 진드기라는 별명이 싫지 않았다. 끝장을 볼 때까지 쉬지 않고 줄기차게 떨어지지 않는다는 의미의 별명이라 그렇다. 허약한 몸으로 태어난 내가 진드기처럼 운동하지 않았다면, 지금처럼 건강할 수 없었다는 생각도 한다. 하루도 쉬지 않고 열심히 운동해서 건강한 몸으로 바뀌게 된 것도 진드기 정신의 결과라고 생각한다.

다른 업체들이 기나긴 소송에 지쳐서 포기할 때, 포기하지 않을 수 있던 밑바탕에는 진드기 정신이 있었다. 또 한국인의 끈기가 발휘되었다고 생각한다. 나는 끝까지 물러설 생각이 없었다. 이 소송은 한국의 법원에 다니듯이 전철이나 승용차로 오갈 수 있는 게 아니었다. 미국의 오리건주 유진시에 있는 법원까지 가야만 했다. 내 소송대리인 미국 변호사와 상대(M&W) 측 변호사의 투쟁이 시작된 것이다. 내가 변호사 사무실에 다닌 것이 1년이 지나고, 3년, 7년, 그리고 10년째 되던 2006년 초겨울, 유진시 법원에 직접 출두하라는 연락을 받고 우리 측 변호사 3명과 함께 법정으로 들어가게 되었다. 10년을 싸워왔던 터라 관련 서류가 족히 세 사람이 카트에 끌고가야 할 정도로 많았다. 판사가 나왔고, 나는 증인석에 앉아서 선서했다. 경험이 없는 사람은 자기도 모르게 겁을 낼 만한 자리다. 한국인으로서 나 자신이 무슨 잘못도 저지른 것이 아니고 사업을 하다가 마땅히 받아야 할 대가를 받기 위한 자리인데, 내 인생 처음으로 미국 법정에 섰다는 자체가 참으로 쉽지 않은 일이었다.

판사는 형식적인 진행을 마친 후에 "이 사건을 오래도록 봐왔기에 누구보다 잘 알고 있다. 올해는 서로 타협하여 잘 끝내보자"라고 말했는데 꼭 엄포처럼 들렸다. 알고 보니 그 판사는 97년 이곳에 부임하여 그동안 이 소송사건에 대해 잘 알고 있어서 그런 말을 한 것이었다. 첫째 날부터 양쪽(나와 M&W)의 변호사끼리 날카로운 공방을 펼쳤고, 둘째 날에도 서로 밀고 당기는 일이 벌어졌다.

사실 M&W라는 대기업과 나 혼자 소송을 붙는다는 자체가 쉽지는 않을 거라 생각했다. 상대방이 누군가! 세계 곳곳에서 건축 사업을 하는 대기업이 아닌가? 그러나 그게 무슨 상관이랴. 내가 자재를 가져다 공사를 한 것에 대한 정당한 대가를 받겠다는데 상대방이 대기업이든 중소기업이든 무슨 상관이냐는 생각으로 주눅 들지 않고 자신감으로 붙어보기로 했다. 다

윗과 골리앗의 싸움이었다. 둘째 날은 더는 진전이 없다는 것을 법원에서도 알았는지 합의 판사가 나를 조용히 불러냈다. 적당한 선에서 타협을 보는 게 어떠냐고 묻기에 나는 단호하게 거절하였다. "무조건 끝까지 간다, 내가 한 일에 대한 대가를 받는데 무슨 타협이냐"며 합의 판사에게 말하고 중재판사실에서 나왔다.

사흘째가 되던 날, 판사는 전보다 더 날카로워졌다. 그렇게 진행되는 동안 내 변호사를 통해 이대로는 끝이 안 보이니 판사가 양측 변호사들을 데리고 게임을 한다는 말을 듣게 되었다.

"아니, 지금 한창 소송 중인데 게임이라니?"

"아무리 해도 타협이나 협상이 안 되니까 한쪽에서 원하는 금액을 듣고 판단해서 손을 들어주려나 봐요."

처음에는 의아스러웠지만 내가 금액을 제시하고 판사의 판단에 맡기는 게 낫겠다고 하기에 동의해주었다. 나는 변호사에게 최종적인 금액을 적어서 전달하고 기다렸다. 그동안 '아! 조금 더 깎아서 적을 걸, 고집을 조금만 더 꺾을 걸' 하는 생각이 머릿속에 맴돌았다. 하지만 아쉬워해도 이미 이렇게 되었으니 진드기처럼 끝까지 가야겠다고 자신을 다독였다. 기다리는 시간이 정말 길게 느껴졌다. 드디어 변호사가 오더니 말을 꺼냈다.

"미스터 정, We Won. 우리가 이겼습니다."

우리는 서로 부둥켜안고 기뻐했다. 자그마치 10년이다. 속에 콱 막혀있던 무언가가 내려갔고, 그렇게 오랜 소송을 마무리하게 되었다.

그때의 경험이 훗날 중국에서 몇 번의 소송이 벌어졌을 때 승소할 수 있는 지혜와 배짱을 갖게 해주었다. 아무 때나 진드기처럼 물고 늘어지면 나쁜 이미지의 진드기가 된다. 올바른 일에 포기하지 않고 매진할 때라야 끈질기고 성실한 이미지의 진드기가 되는 것이다. 인생 대본에서는 미리 다음 장을 넘겨볼 수는 없겠지만, 오늘 보인 내 끈질긴 노력은 대본의 다음 장에서 나락으로 떨어질 일은 없다는 확신이 된다.

내가 시작한 일은 무슨 일이 있어도 내가 마무리를 지어야 한다.

승패 없는 **전쟁**

우리는 누구나 승패 없는 전쟁을 벌이며 살아간다. 날마다 삶의 전쟁터에서 출퇴근을 하고, 일하고, 공부하며 하루를 보낸다. 생소하게 들릴지 모르지만, 나는 '승패 없는 전쟁이 가족이고 전쟁터는 가정'이라는 말을 들은 적이 있다. 나는 이 말에 전적으로 공감한다. 가족과 싸워서 이긴들 무엇을 하고 혹여나 진다고 한들 무엇이 억울하겠는가. 가족과의 인연은 대본 없는 드라마 중 가장 극적이고 아름다운 연출이라고 생각한다. 가족의 인연은 몇 겁의 반복된 연들이 뭉쳐서 이룩한 결과라 할 수 있다. 흔히 옷깃만 스쳐도 인연이라고 했으니 부부가 되고 형제가 되고, 부모 · 자식이 된 인연은 보통의 인연과는 완전히 다르다. 기쁨도 슬픔도 모두 이 안에서 먼저 배운다. 가족 중에 누군가를 이기고 지고의 문제가 아니기에 가족들 간의 의

견충돌은 결국 승패 없는 전쟁일 뿐이다.

우리 부부는 한 번도 싸운 적이 없다. 언제나 부창부수 하면서 서로 이해해 주었다. 생각해보면 언제나 아내가 나보다 먼저 양보해준다. 가까이에서 우리 부부를 본 사람들은 하늘이 내린 부부라고 말을 한다. 내 쪽의 지인들은 외모도 심성도 고운 아내와 인연을 맺게 하려고 하늘의 어떤 큰 힘이 나를 오래도록 노총각으로 둔 것이라고 농담을 건넨다. 그들은 웃자고 하는 말이겠지만 나는 그 말이 맞는 말이라고 생각한다. 친구 부부가 실수해서(그쪽 사정을 들어보면 그럴만 했던 상황) 나를 바람맞게 하고 1년 동안 기다리는 시간을 주었던 것이 아내와의 인연을 더 애틋하게 만들어 주었다. 살아오면서 그 친구 부부에게 늘 고마워하고 있다.

우리가 서로 만나 한동안 사귀고 있을 때, 미국으로 갑자기 날라 온 형과 형수님이 우리 둘을 보더니 대뜸 "자네가 50점, 이 아가씨 50점 합해서 100점이야. 그러니 결혼해라"라는 말에 동의하고 주저 없이 바로 결정을 하게 되었다. 나 역시 100점이 아닌데, 완벽한 100점짜리 인간이 세상에 있겠는가! 서로 합해서 100점이 된다면 그것이 가장 완벽한 것이다. 사람 인(人)을 보면 알지 않는가? 서로 기대어 서서 서로를 안전하게 받고, 받치고 하여 사람 인(人)자가 만들어진 것이다. 그런 생각이 미치자마자 우리 둘의 인연은 맺어지게 되었고 한 쌍의 부부가 탄생하여 애들을 낳고 가정을 이루게 된 것이다.

아이 셋을 낳은 미국 산타클라라 옛집

1989년부터 1992년까지 만 3년이 채 안 되는 동안, 아내를 닮은 예쁜 딸 셋을 연달아 낳아 나에게 기쁨을 안겨주었다. 둘째와 셋째는 연년생이다. 아내는 아이를 돌보는 일만 해도 눈코 뜰 사이도 없이 바빴지만 세 아이 전부 모유로 키웠다. 미국 생활 동안 하루 세끼 언제나 아내가 직접 식사를 준비했고, 여러 가지 반찬과 김치도 직접 담갔다. 아이들이 아기 때부터 먹은 이유식과 좀 더 커서 준비한 간식들, 가족이 먹는 모든 먹거리는 모두 아내가 손수 만들었다. 패스트푸드와 인스턴트는 거의 사지도 않았고 외식을 한 기억도 별로 없다. 아내는 연달아 아이 셋을 낳으면서 애들을 챙기느라 자기 몸을 아끼지 않았다. 남편인 내가 많이 책임지지 못해서 아내가 몸 관리를 잘하지 못했다는 생각에 지금도 늘 미안하다.

가족은 서로 닮는다고 한다. 나는 결혼하기 전부터 '나만의 십일조'를 내고 있었다. 기독교 신앙을 경건하게 지키는 신자는 아니지만, 나의 재물과 시간 중 10%를 나보다 더 필요로 하는 사람과 단체에 되돌려 준다는 원칙을 가지고 살고 있다. 결혼 후, '나만의 십일조(봉사)'는 현재 '우리 가족의 십일조'로 업그레이드되었다.

나는 탤런트가 된 후 첫 출연료 전액을 불우이웃돕기 성금으로 냈었다. 그리고 탤런트 생활을 접기 전, 당시 큰 사고를 당한 이리역 이재민 구호 모금이란 명목으로 신인 탤런트 동기들과 함께 일일 찻집을 하여 번 30여만 원(당시로 치면 큰 액수이다)을 방송국에 전달했었다. 또한 20년 동안 우리 부부는 한국과 미국, 중국에서 가족의 생활필수품을 제외하고 돈과 의

복, 책, 생활용품을 수시로 기부했고, 중국에서는 내가 직접 차에 싣고 우리 공장의 노동자들에게 전달하기도 했다. 그러한 것을 보고 자란 둘째 딸도 미스코리아 진 상금 전액(2천만 원)을 국제 백신 연구소(유엔기구가 인정한 한국의 단 한 곳)에 기부하게 되었다.

현재 나는 사업가로 어느 정도 성공했다는 평을 듣고 있지만, 부자의 반열에 오를 만큼 부를 갖지는 못했다. 성공이란 게 무엇인가? 돈이 많다, 출세했다, 나는 그러한 것이 성공이라고 보질 않는다. 모름지기 우선 가정을 편안하고 건강하게 하는 것. 이것들을 유지하기 위해 적당한 수입이 있는 일을 하면서, 그 세 가지를 적절히 분배할 수 있는 여유가 있는 삶이 성공한 삶이라 생각한다. 남에게 아쉬운 소리를 안 하며 보통 평범한 생활을 하면 되는 것이다. 평범한 삶 속에서 진정한 행복이 만들어진다. 내 삶은 내가 만들어 가자.

처음이자 마지막 **각서** 사건

내 인생 최초이자 마지막 각서를 쓰게 된 일이 있다. 2015년 초, 베트남에서 대기업 전자 공장 건축현장을 맡아 일하는 중에 송수관이 터지는 일이 생겼다. 우리 회사는 하이테크 산업 공장 클린룸 내장 공사 전문 업체다. 원래 우리가 직접 땅을 파는 일은 없는데 우리가 송수관을 터뜨린 것이다. 우리에게 하청을 맡긴 **건설사가, 급한 김에 눈에 보이는 우리 회사 측 현장 근로자들을 불러서 땅을 파게 한 것이다. 도면에 따라 굴착을 하던 중 도면에 나와 있지 않은 송수관이 건드렸고, 물은 분수처럼 쏟아졌다.

그리고 마침 현장을 지나던 원 발주업체 **전자 간부가 현장을 목격했다. 그 간부는 소동을 일으킨 우리 회사에 페널티를 주겠다고 나섰다. 우리에게 일을 시킨 건설사는 말이 없으니 꼼

짝없이 우리가 뒤집어쓰게 된 것이다. 건설사는 우리에게 갑이니 억울하다고 전자 측에 말하는 순간 건설사와는 완전히 작별해야만 한다. 이 사건으로 우리는 억울하게도 1년간 입찰금지령 통보를 받게 되었다. 1년간 아무 일도 못 하게 된 것이어서 참으로 암담한 생각이 들었다.

우리 회사가 일을 못 하게 되어 정말 힘들었지만, 나를 더욱 힘들게 한 것은 우리 회사가 수주해야 그 공사를 맡은 시공회사의 수많은 시공(일당 노동자) 인원들이 살아갈 수 있다는 점이었다. 우리를 쳐다보고 있는 수많은 일당 근로자들의 눈들을 보자니 참으로 미안하고 안타까운 생각에 잠을 못 이루게 되었다. 여러 날 이것을 어떻게 풀어야 저 사람들을 살아가게 할 수 있을까 하다가 '그렇지 이렇게 하면 되겠구나, 가만히 앉아 걱정만 하다가는 누가 도와주겠는가. 내가 해결책을 내야겠다'라는 생각이 들었다. 나는 무슨 일이 있으면 고민하지 않고, 연구한다. 이걸 푸는 방법이 없을까? 어떻게 하면 더 좋을 수가 있나? 등 연구를 거듭한 끝에 해결책의 실마리가 보이기 시작했다. 나는 금지령을 내린 발주처 전자의 책임자인 부장에게 세 차례의 정성 어린 편지를 보냈다. 삼고초려 끝에 답이 왔다. 두 번까지 응답도 없다가 세 번째 편지에 이르러서야 석

달 만에 답이 온 것이다.

“대표이사의 친필 각서를 하나 써서 가져온다면 보고 생각해보겠다.”

각서가 아니라 백 번 천 번 절을 하더라도 그게 무슨 대수냐! 수많은 시공 노동자들에게 일을 시킬 수만 있다면 무슨 벌을 받더라도 해야지 하고 각서를 써내려갔다.

‘먼저 무조건 사과드립니다. 잘못은 내가 한 것이니 내가 책임을 지겠다며 제1도 안전이요, 제2도 안전이요, 제3도 안전에 전력을 기울여 두 번 다시 이런 일이 없도록 하겠습니다. 앞으로 그런 일이 있다면 영원히 퇴출을 시켜도 달게 받겠습니다.’

이러한 내용의 글을 써가서 직접 만나게 되었다. 그것이 유효했던지 다시 입찰에 참여하게 되어 공사하게 되었다. 우리 회사와 시공 회사의 시공 인원들은 살아남게 되면서 기쁜 마음으로 현재까지도 계속 일을 하고 있다.

나는 살면서 무슨 잘못이 있건 없건 간에 변명한 적이 없다.

있는 그대로 말을 하고 잘못이 있으면 '내가 책임을 지면 된다' 고 생각해왔다. 무슨 일이건 회피하지 말고 '정공법' 으로 내가 한 일에 대해 책임을 지는 건 당연한 일이기도 하다. 나 개인의 일을 해결하기에 앞서, 다른 사람들과 함께 일하며 그들의 리더로서 일하는 중이라면 더더욱 그러하다. 그리고 진실한 마음으로 다가가면 상대방도 대부분 이해를 해주기 마련이다. 변명하지 않는 습관을 가져야 한다.

진심은 통하는 법이다.

02

예측하고 대비한다

준비된
미스코리아

앞에서 말했던 이야기가 있다. 인생이라는 대본에서 작은 가능성만 있더라도 '대본을 미리 써보고 걸맞은 연기를 해보라'는 말이다. 내 딸이 미스코리아 진이 되었는데, 이것도 예측을 했기에 미리 준비를 한 것이라고 대답한다면, 과연 당신이 믿을 수 있는지 물어보고 싶다. 아마 믿어지지 않겠지만, 명백한 사실이다. 태어나기 전부터 준비했다는 것이 아니라 태어난 이후부터 아이들과 아내와 내가 준비를 했다.

요즘에는 줄줄이 딸을 셋 낳으면 '쓰리 스트라이크'라고 하며 부러워한다. 딸들이 효도도 많이 하고 여성의 사회적 지위까지 올라가는 추세여서인지도 모르겠다. 다 큰딸들도 예쁘겠지만 어릴 적 딸들은 또 얼마나 예쁜가. 눈에 넣어도 아프지 않다는 표현만큼 정확한 표현이 없을 정도로 예쁘고 예쁘기만 하다. 게다가 나는 늦장가를 가서 아이들을 낳았으니 얼마나 예쁠 것인가. 게다가 줄줄이 연년생으로 태어난 세 딸을 바라보는 아빠의 심정은 경험하지 않아도 눈치를 채리라 생각한다. 커갈수록 더 예뻐지는 딸들에게, 주변에서 만나는 사람마다 미스코리아 감이라고 칭찬을 하고는 했다. 아이들이 어렸을 때 집에서 부르는 이름에는 '현' 자 돌림을 썼었다. 어른들이 아이들을 부를 때 첫째는 현진, 둘째는 현선, 셋째는 현미라 불렀으니 이미 어릴 적부터 '진·선·미'에 익숙해 있었다.

첫째인 아름이는 1989년생으로 두 동생에 비해 키가 약간 작은 편이라 미스코리아 쪽보다는 미스춘향 쪽으로 욕심을 잠깐 내보기도 했다. 영어와 중국어에 능통하니 한국뿐만 아니라 세계에 춘향이를 널리 알리는데 큰 장점이 있을 것 같아서였다. 하지만 중요한 것은 아름이가 흥미가 없고 미국에서 학교에 다녔기에 시간이 부족했다는 것이다. 아름이는 어릴 적 꿈이었던 변호사가 되기위한 자기 길을 찾았다. 2010년에 미국 캘리포니아에서 유명한 UCLA를 'ALL A'의 성적으로 졸업해서 우수학생(CUM LAUDE)으로 졸업을 하게 되었다. 그때 미국의 오바마 대통령의 취임식에 초청을 받기도 하고, 본인의 희망

대로 미주리주 세인트루스 University of Washington 로스쿨에 진학했고 2015년에 졸업하여 미국 변호사 시험을 치렀다. 캘리포니아 주와 메사추세츠 주 두곳으로부터 합격통지를 받았다. 둘째가 미스코리아 진이 되었지만, 아빠의 마음속엔 큰딸부터 순서대로 미스코리아 진이라고 생각을 하며 살아간다. 큰딸이 첫해 미스코리아 진이고, 둘째는 다음 해의 진이고, 셋째는 세 번째 해의 진이라고 말이다.

1991년생 둘째인 소라와 1992년생 셋째 유리는 고등학교에 다닐 때부터 키가 172센티를 넘었다. 어릴 적부터 둘 다 미스코리아 감이라는 말을 많이 들었고, 키까지 컸으니 아빠가 모른척할 수는 없었다. 제대로 준비하고 도전해야겠다는 생각이 들면서 준비를 위한 실천을 하기 시작했다. 소라와 나는 중대한 결심을 한다.

미스코리아 서울대회에 참가하기 위해, 나는 30여 년간 간직한 미국 영주권을 포기하고, 소라도 미국 시민권을 포기하여 한국의 주민등록증을 획득했다. 정공법을 쓴 것이었다. 호랑이를 잡으려면 호랑이 굴로 들어가야 한다. 해외에서 살면서 해외 미스코리아 예선에도 나갈 수 있지만, 절대로 미스코리아 진은 될 수가 없었을 것이다. 그만큼 각오가 남달랐다.

결과에 대해서는 여기까지 말하고, 사람들이 궁금해 하는 이야기를 해보려 한다. 둘째인 소라는 초등학교 때부터 165센티가 되더니 중2 때는 172센티가 되었다. 유치원 때부터 예쁘다는 말과 함께 연예인이나 가수, 배우를 시켜주겠다는 사람들도 나타났었다. 하지만 나는 아이들이 중·고등학교까지는 또래 아이들과 지내며 일반적인 생활을 하는 것을 원칙으로 삼았기에 일축하며 지냈다. 아예 연예계 쪽으로는 발도 못 붙이게 했다. 어린 나이에 돈도 벌고 유명해질 수는 있겠지만, 제대로 학교를 못 다니고 친구도 없고 그 세대만의 경험과 감성을 놓친다고 생각하기에 반대했다. 학창시절의 추억은 단순하지 않다. 긴 인생에 있어 꼭 필요한 그때만의 감성이 있고 소중하게 간직할 순간이라는 게 나의 지론이다. 이러한 결심은 내 학창시절이 반영된 것이기도 하다. 나는 집안 형편 때문에 고등학교에 바로 입학하지 못하고 거의 1년을 보냈다. 그때 가장 부러웠던 것은 다름 아닌, 제시간에 교복을 입고 학교에 다니는 친구들의 일상이었다. 소라와 내 상황은 다르지만, 학창시절의 '제때'를 놓치지 않게 한 것은 매우 잘한 판단이라고 생각한다.

세 딸은 말하기 시작할 때부터 초등학교 전까지 하루도 거르지 않고 치르는 의식이 있었다. '나는 예쁘다. 나는 건강하다. 나는 행복하다' 라는 주문을 아빠인 나와 매일 저녁 잠들기 전까지 외웠다. 어쩌면 이때부터 미스코리아를 준비를 한건지도 모르겠다.

소라는 고등학교 2학년이 되면서부터 슬슬 미스코리아를 준비하기 시작했다. 무엇보다 본인의 의견이 중요하다고 생각해서 먼저 의견을 물어봤다. 그러자 소라도 도전을 하겠다고 답했다. 하지만 그 뒤로 몇 번이나 결정을 번복할 만큼 부담이었던 모양이다. 옛말에 '소나 말을 물가에는 데리고 갈 수 있지만 절대로 물을 먹일 수는 없다' 라는 말이 있는데 사실 그 말이 맞는 것 같다. 아무리 자식이라도 부모가 강요해서는 안 되는 것이다. 그래서 어떻게 하면 될까를 연구하다 보니 '동기부여' 라는 말이 생각났다. 아내와 나도 당사자인 소라에게 한동안 말을 하지 않다가 2009년 미스코리아 예선 시즌이 다가와 소라를 데리고 서울예선 대회와 서울 본선, 미스코리아 본선 대회를 찾아갔다.

그러다 며칠 뒤 소라 본인 입을 통해 대회에 나가보겠다는 말을 듣게 되었다. 본인이 대회를 직접 참관하면서 그곳에서 보고 배우고 자신감도 얻고 해서 본인 스스로 나가겠다는 의지를 굳힌 듯했다. 동기부여는 바로 이렇게 옆에서 울타리 역할을 해주면 된다. 이거 해라, 저거 해라, 말해서 따라줄지언정 정작 본인의 마음은 다른 곳에 가 있게 된다면 어떻게 되겠는가? 정작 본인의 마음이 스스로 움직이어야 의지를 갖고 더 열심히 적극적으로 할 것이 아닌가!

소라의 의지가 굳어진 후 2009년 후반기부터 아내와 소라는 서울 생활을 시작했다. 말하자면 서울에 베이스 캠프를 차린 것이다. 미스코리아는 정보전이기도 하다. 그만큼 소문이 판을 치는 곳이다. "어디 어디 미용실이 잘한다. 모 미용실 코스를 밟아야만 될 수 있다" 등등. 그런데 문제의 그 미용실은 등록비만 해도 800만 원이었다. 미용실을 다니는 기본 준비만 해도 돈이 만만치 않게 들기 시작해서 쥬얼리 숍, 드레스 숍, 성형외과 경비 등 줄줄이 돈이 필요했다. 대충 헤아려보니 2억 원 정도가 들것으로 예상되었다. 그렇게 많은 돈을 들이고도 미스코리아 진이 된다는 보장은 어디에도 없었다. 무엇보다 돈을 써서 무엇을 어찌해본다는 것에 반감이 들었다.

어느 날 모녀가 성형외과에 간다고 해서 나도 함께 따라갔다. 서울 강남에서 가장 유명하다는 성형외과였다. 5층 전체가 성형전문병원이었는데 막상 가보니 생소하기만 했다. 1층부터

5층까지 각 층별로 부위별 전문 의사들이 있어 순서대로 통과하는 것이었다. 1층부터 4층까지 올라가면서 진단을 하고 결과를 받은 후에 5층의 왕 원장이라는 사람에게 최종 심사를 받는 것이다. 왕 원장은 제일 나이가 많고 괴팍하다고 소문난 의사였다.

1층에서 우선 원장을 만나보니 소라를 보고 별로 고칠 게 없다고 하면서 바로 왕 원장을 만나보라 하여 5층으로 이상 없이 직행했다. 칠순이 넘었을까. 왕 원장을 대면하는 순간 깐깐한 분이겠구나 하고 소문 속 사실을 직감했다. 그런데 왕 원장은 소라를 찬찬히 보더니 한참 아무 말이 없었다.

"소라는 어디가 콤플렉스야?"

한참의 침묵 끝에 들리는 그 말에 마음이 놓였다. 결과는 손댈 곳이 없다는 결론으로 병원을 나왔다. 나는 소라와 아내에게 말했다.

"얼굴에 조그마한 칼질을 해도 고치면 고친 게 되는 것이야. 아빠는 당선 안 되어도 좋으니 있는 그대로 나갔으면 좋겠다."

당사자인 소라와 아내도 딱 내 말을 하고 싶었던가 보다. 차 안에서 웃음들이 터져 나왔다. 우리는 돈을 지급하는 대신 자신감을 느끼고 대회에 나갔다. 동대문시장에 가서 소라가 직접 장신구를 골랐고, 미용실은 아는 분 소개로 찾아갔고, 드레스는 한국일보에서 주는 것을 입었다. 성형외과 나들이를 해보면서 이 세상에 돈으로 되는 것도 있고 안 되는 것도 있다는 사실을 깨달은 게 가장 큰 소득이 되었다. 워킹 연습도 별다르게 필요하지 않았다. 소라는 약간 발이 안쪽으로 굽어 있어서 어릴 때부터 발을 당겨주고 마사지한 덕분에 걷는 것도 이미 모델같았다. 소라는 정말 타고났다는 소리를 들을 만했던 것이다.

'자연 그대로' 대회에 나가 미스코리아 진이 된 소라는 훗날 강호동의 <스타킹>이란 방송 프로그램에 나가서 비닐 랩에 얼굴을 들이밀어보는 '자연미인' 테스트를 거쳐 입증을 받기도 했다. 미스코리아 진이 자연미인이냐, 아니냐를 테스트해보여야 믿다니 현재 분위기가 그런 모양이구나 하는 생각이 들었다.

자, 이쯤 되면 준비된 미스코리아라는 말이 지어낸 말이 아니라는 것을 알 수 있을 것으로 생각한다. 모든 사람이 미스코리아를 꿈꾸는 게 아니듯 당사자나 부모가 원하는 꿈을 위해 어릴 적부터 충분히 준비할 수 있다는 말을 하고 싶은 것이다.

누구나 꿈을 위해 준비한다면, 그만큼 좋은 결과가 나오게 될 것이라고 말하고 싶다.

2010년 7월 25일은 그렇게 내 인생 최고의 순간이 되었다. 항상 준비해야 한다고 강조하는 나에게 가장 큰 결과물을 만들어 준 날이기 때문이다. 소라와 우리 가족 모두가 한국은 물론 중국 언론에서 스포트라이트를 받았다. 소라는 미국학교 2009년도 졸업생이자 상하이 한국상회(한인회) 회장의 둘째 딸로 소개해주었다. 때문에 내가 상하이에서는 매우 유명한 한국인 인사가 된 것이다.

준비하고 노력한다면 아름다운 날은 누구에게나 오는 일이라고 확신했던 날이다.

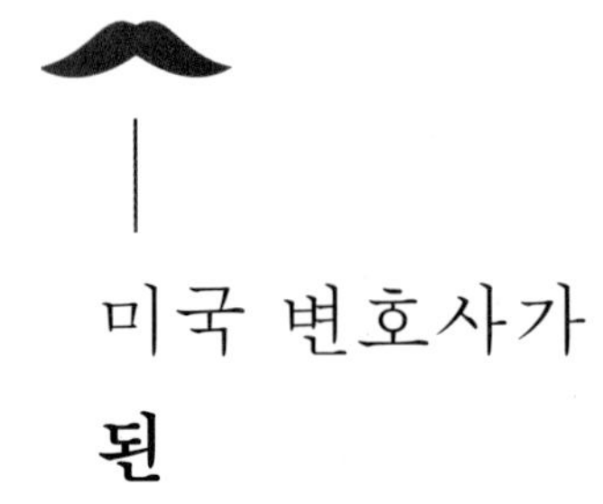

미국 변호사가 **된** 큰딸

큰딸 정한아름이 미국 변호사가 되었다. 어릴 적에 특출나게 공부를 잘한 아이도 아니었고, 중간 정도의 성적이었던 딸이 미국에서 변호사가 된 것이다.

아름이가 미국 캘리포니아 UCLA(Political science 정치학 전공) 대학을 졸업한 날은 소라가 미스코리아 진으로 당선된 바로 다음 날, 7월 26일이었다. 둘째가 미스코리아 진이 되어서 밤새 가족들과 잔치를 보내고 싶었지만, 아빠라도 큰딸의 경사를 챙겨주고 싶은 마음이 앞서서 거의 뜬 눈으로 보내고 미국으로 향했다. LA에 도착해서 곧바로 졸업식장으로 향했다. 마침 산호세에서 형으로 모시는 정순영 철학 박사님이 동행해 주었다. 하루 전날은 둘째가 한국에서 미스코리아 진이 되는 모습을 현장에서 보았고, 다음 날은 큰딸이 미국에서 우수학생으로 졸업장을 받는 모습을 보는 아빠가 바로 나라는 사실에 뿌듯하고 행복했다.

아름이는 중·고등학교 공부는 보통의 B 수준이었으나 욕심은 많았다. 어릴 때 꿈은 변호사가 되겠다고 책상 앞에 써넣고 책도 많이 읽었다. 그리고 자기 스스로 공부하여 우수한 성적으로 UCLA 대학을 졸업한 뒤로, 변호사 시험을 보겠다며 다시 열심히 공부하고 준비했다. 2015년 봄에는 미주리주 세인트루이스에 있는 워싱턴 로스쿨을 졸업하고 7월 28일부터 3일간 캘포니아 변호사 시험을 치렀다. 시험결과 발표는 몇 달을 기다려야 했고, 11월이 되어서야 발표를 했다.

그때 나는 사업차 상하이에 있었는데, 저녁이 다 되어서야 아내에게 아름이의 합격소식을 전해 들었다. 당시 캘리포니아 주 변호사 시험은 어렵고 경쟁률이 치열하다는 말에 걱정을 많이 했는데 아름이는 합격한 것이다. 대학부터 로스쿨까지 7, 8년 가까이 어려운 공부를 계속해 온 아름이다. 벅찬 마음을 애써 누르며 아름이에게 전화를 걸었다. 전화를 받는 딸의 목소리에 무슨 말이든 해주고 싶었는데 나도 모르게 눈물이 흘러 목이 메 왔다.

"아름아, 수고했다."

나는 짧은 한마디만 남기고 전화기를 내려놓았다. 마음을 진정시킨 후에야 다시 전화를 걸어 축하의 말을 전하며 이런저런 이야기를 나눌 수 있었다. 큰딸도 힘든 시간을 보내왔을 것이다. 동생들이 미스코리아로 활약하는 동안 공부에만 전념해야 했고, 오래 걸리는 일에 도전하고 있었으니 부담도 컸을 것이다. 큰언니의 기쁜 소식에 두 동생도 '역시 우리 언니야!' 하며 반가워하고 자랑스러워했다.

아이들이 공부를 잘하기 위해 건강관리를 한 것을 제외하고, 특별한 비법이라고 생각되는 것 중 하나는 '써머스쿨'이다. 아이들이 고등학생일 때 미국의 우수한 대학에서 진행하는 써머스쿨에 보냈었다. 여름방학을 이용해서 일류대학의 우수한 교수들에게 강의도 듣고(여기에서 획득한 학점은 인정이 되어 본 대학에서 조기졸업도 가능하다) 캠퍼스도 살펴보는 기회를 얻게 해주었다. 이 학교에 다니고 싶다는 '동기부여'를 해 준 것이다. 큰딸의 UCLA 써머스쿨의 경험은 내 예상이 정확히 적중했다. 의욕을 갖게 되면서 열심히 공부하고 그 대학교에 갔다. 그리고는 더 열심히 공부해서 만으로 스물여섯 살 되는 나이에 캘리포니아 주와 메사추세츠주 두 곳의 미국 변호사 시험에서 합격하게 되었다.

앞서 말한 것처럼 큰딸은 고등학교 시절 평균점수 B학점의 평범한 아이였다. 그랬던 아이가 본인의 의지와 노력으로 얻어낸 소중한 성과였기에 더 자랑스럽다. 앞으로도 아이들의 앞날에 또 도전할 일이 생기더라도 의지와 노력만 있으면 발전도 할 뿐더러 위기와 어려운 상황들도 잘 헤쳐나가리란 믿음도 생겨났다.

내 딸이 운이 좋기 때문이라고만 생각하지 않길 바라고 아이들을 위해 부모가 할 수 있고 도와줄 방법이 무엇인가를 연구해보길 바란다. 누구나 동기부여를 만들 수 있는 관심과 환경이 필요하다고 본다.

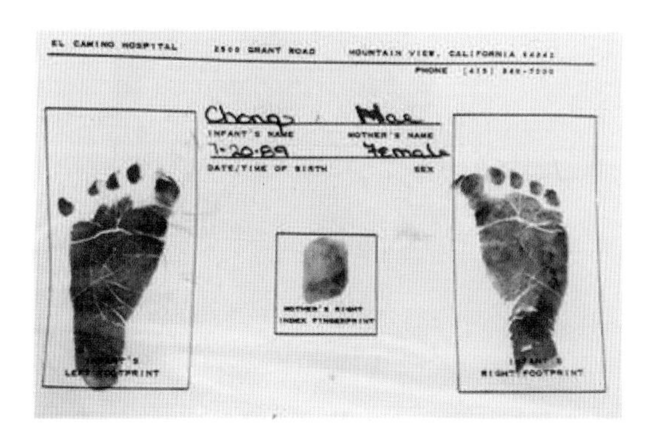

미국 변호사가 된 큰딸의 첫 발자국

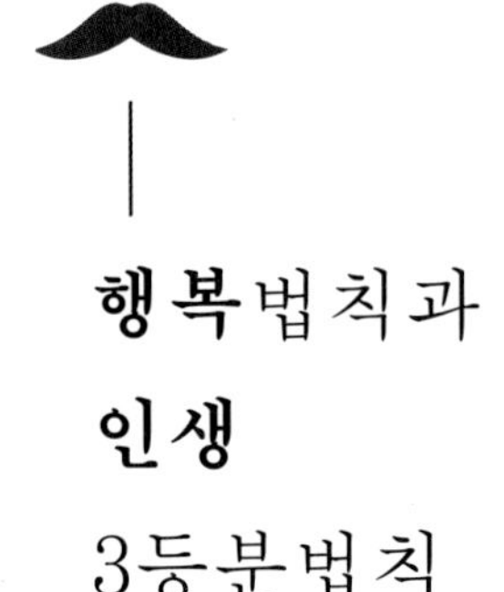

행복법칙과 인생 3등분법칙

행복법칙 1 = 건강 30%, 가족 30%, 사업 30%, 봉사 10% (30+30+30+10=100)

내가 생각하는 '행복법칙'에 대해 말해보고자 한다. 나는 이 법칙을 살아가는 데 있어 첫 번째로 여겨도 좋다고 생각한다. 결혼하고 나서부터는 무조건 이것을 지키기 위해 노력했고 습관이 되었다. 나뿐만 아니라 모든 사람이 내가 생각하는 행복법칙을 공감하고 노력하면 좋겠다.

인생을 되돌아보면서 한 번씩 드는 생각 중의 하나는 '이 정도면 잘 지내왔고, 잘 살았다'이다. 긍정적인 생각이라고도 할 수 있겠지만, 나는 중국을 비롯해 7개국 나라에 기업체를 운영하고 있고, 그곳에 나가 있는 직원들과 현장 시공 인원을 책임지고 있으니 사람 부자라면 내 나름대로 부자다. 임직원들이 힘써주었기에 지금의 한영E&C가 있게 된 것이나 마찬가지다. 이렇게 자리를 잡기까지 그들의 공로가 매우 컸다. 임직원들이 해준 모든 것에 대해 고맙게 생각한다. 10년 이상 근속한 직원들에게 승용차를 사주는 이유가 여기에 있다. 이 약속은 지금까지 지속되고 있다.

사랑하는 한영이엔씨 가족들과 함께

사랑하는 아내와 아이들은 또 어떤가. 세 딸 모두 자기 삶의 주인으로 살아가며 언론과 많은 사람의 주목도 받고, 맑고 밝은 몸과 마음으로 살아가고 있으니 이 또한 부모로서 행복한 일이다. 무엇보다 가장 중요하다는 건강도 큰 이상 없이 수십 개국을 왕성하게 날아다니며 활동하고 있으니 건강문제도 걱정이 없다. 사람들은 골고루 균형 잡힌 내 삶에 대해 많이들 궁금해 한다. 그러면 나는 항상 준비한 대답을 한다. 균형 있게 살기 위해 인생 3등분법칙을 지킨다고 말이다.

1위는 건강
2위는 가정
3위는 사업

세 가지를 골고루 3등분으로 나누어서 꾸준하게 챙기면 누구에게나 행복은 저절로 오는 것이라고도 강조한다. 무엇이 더 필요할까 생각해보면, 떠오르는 것은 바로 봉사다. 봉사에 대해서는 나중에 얘기하겠다.

건강과, 가정과, 사업은 순서를 정할 필요없이 동시에 챙기는 게 좋다. 정삼각형의 도형을 그려보면서 직접 생각해보면 쉽게 접근할 수 있는 게 3등분법칙이다.

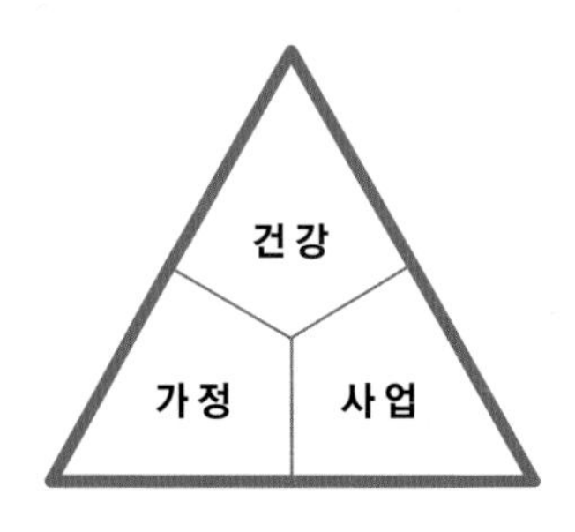

굳이 1위부터 3위까지 서열을 둘 필요도 없이 똑같다고 봐도 무방하다. 건강과 가정과 사업을 같은 비율로 생각하고 실천해 나가는 게 좋다. 누구보다 사랑하는 아내와 예쁜 딸들이 있지만, 집에만 콕 파묻혀 살았다면 사업을 어떻게 꾸려왔겠는가. 역시 사업에만 매진하며 돈벌이에만 급급했다면 아이들이 어떻게 이렇게 밝고 건강하게 살아올 수 있었겠는가. 가정과 사업 중 어느 한 가지에만 몰입하지 않으면서도 평정심을 놓치지 않고 날마다 운동으로 건강관리를 하는 게 내 비결의 전부라고 말해준다. 너무 쉽다고 생각한다면 그냥 따라 해 보라고 말한다. 중단하지 말고 지속해서 하여 습관으로 만드는 것이다.

돈만 벌겠다고 열심히 일하여 몇 배, 몇천억, 조 단위의 매출을 올리며 사업을 하는 사람들이 있다. 또 출세를 위해 높은 공직에 오른 사람, 사회적으로 명망을 얻는 사람 즉, 부와 명예를 위해 사는 사람도 건강을 소홀히 하여 세상을 일찍 떠나는 안타까운 일들을 우리는 많이 본다.

또 그들의 가정은 또 어떤가. 자녀들은 속칭 금수저로 태어나 일찍부터 국외파로 나서며 부러움을 사는 듯하지만, 실상은 비행 청소년이 되어 뉴스에 오르내리기도 한다. 사업은 잘되는

데 가정에 문제 있거나 건강이 안 좋다면 결코 행복할 수가 없다. 건강하기도 하고 사업도 잘되는데 가정에 자녀 문제나 부부사이가 파탄이 난다면 얼마나 힘이 들겠는가? 이 또한 행복과는 거리가 멀다.

많은 사람들은 돈과 출세를 성공의 기준으로 삼는다. 나는 그렇게 생각하지 않는다. 건강과 가정을 지키고, 일해서 돈도 적당히 있어야 한다. 세 가지 균형을 맞추어야 한다. 그렇게만 산다면 이것이야말로 가장 성공했다고 말할 수 있겠다. 그렇지 않은가?

나는 삶을 3등분으로 적절히 분배하여 살아왔다고 자부한다. 그런데 이렇게 하다 보니 나이 50이 되니 조금 아쉬운 게 생각이 났다. 골똘히 연구(고민이라는 말은 내 사전에 없다)해 보니, 아 그렇지! 남에게 봉사를 좀 하면서 살면 더 풍요로운 삶이 되지 않을까 하는 생각이 들어 3등분(100으로 보면) 한 것 중에 조금씩 빼서 10을 만들어 30(건강)+30(가정)+30(일)+10(봉사)= 100으로 나누게 되었다. 결혼 전부터 늘 의미 있는 삶을 꿈꾸었는데 어쩌다 보니 나눔과 봉사(10%)는 순서가 뒤로 가고 비중도 10%로 적게 편성이 되었다. 자로 재듯 맞추며 할 수는 없지만, 기회가 되면 최선을 다해 나눔과 봉사를 실천하려 한다.

나는 상하이 한인회장으로 봉사하던 중 한국일보와 상의하여 2010 미스코리아 전원을 상하이로 초대했다. 2009년 중국 쓰촨성 대지진 피해자를 위하여 모금 운동을 개최하여 성금을 전달하기 위해서였다. 현재는 2011년 우연히 침 뜸으로 유명한 한국의 구당 김남수 선생님의 '배워서 남 주자'의 철학을 살려 상하이에서 몸이 불편한 한국과 중국인들을 위한 '뜸사랑봉사회'를 만들어 매주 토요일에 봉사하고 있다.

봉사라는 것은 무엇을 크게 한다고 자랑하면서 남에게 보여줄 목적으로 하는 것이 아니다. 조용히 형편대로 할 수 있는 만큼 조금씩 조금씩 실천하다 보면 티끌 모아 태산의 위력을 발휘할 수 있는 것이 아닌가 생각된다. 여기에 한 가지 덧붙이자면 행복법칙을 지키기 위해 잊지 말아야 하는 중요한 문제가 있다. '욕심을 버려야 한다'는 것이다. 기억해두자!

누구나 행복법칙을 쉽게 적용하며 살 수 있다. 삶의 3등분법칙을 잊지 말고 꾸준히 실천한다면 가능하다. 3등분법칙이 기억나지 않는다면 정삼각형법칙으로 외워도 좋을 것이다.

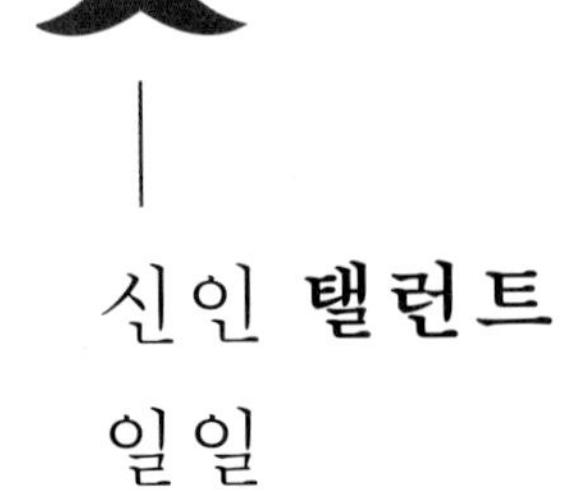

신인 **탤런트** 일일 **찻집**

내가 미국으로 떠나기로 결심을 했을 때는, 그저 한두 달 머물다 오자는 생각이 아니었다. 아예 미국에 들어가서 성공하기 전에는 오지 않을 각오까지 했다. 한국에서 정리할 게 많았다. 짐은 모두 챙겼고 지인들과도 인사를 하며 하나씩 정리하던 중이었다. 미국으로 떠나기 전에 의미 있는 일을 하고 싶다는 생각을 했다. 그리고 지금도 단체들이 더러 하는 것으로 알고 있는 '일일 찻집' 행사를 주최하는 걸 떠올렸다. 그때도 대학생들이 가게를 빌려 일일 찻집을 열어서 판매수익금으로 좋은 곳에 사용하는 일이 있었기 때문이다. 나의 제안에 동기생인 반장 변영철부터 시작해서 모두 흔쾌히 동의해주었고, 배명중학교 시절부터 동고동락한 영원한 유도부 친구 정창호의 도움으로 명동 지하상가에 있던 궁전다방을 하루 빌릴 수 있었다.

입장권을 만들고 판매를 했다. 선배 탤런트들과 지인들에게 취지를 설명하고 구매를 요청했다. 선배들도 좋은 생각이라며 칭찬해주면서 많이 구입해주었다. 77년도 연말, 찻집 준비는 원활하게 진행되었고, 드디어 찻집을 여는 날이 다가왔다. 나는 명동 입구로 가서 군대 시절 차트사 경험을 살려 내가 직접 쓴 <MBC 신인 탤런트 9기생 일일 찻집>이라고 쓴 광고지를 여러 군데 붙였다. 이제껏 신인 탤런트들이 일일 찻집을 운영하는 건 사상 처음이었던지라 그 넓은 명동 입구가 마비될 지경이었고, 궁전다방에 많은 사람이 들어왔다. 하루 종일 다방 안에 빈자리가 없어 모두 줄을 서야 할 판이었다. 우리는 정신이 하나도 없을 만큼 많은 주문을 받았다.

그리고 마침 휴가 중이던 동기생 길용우도 와서 도와주었다. 탤런트 이정길 선배님을 비롯해, 내로라하는 선배 탤런트들도 찾아왔다. 우리 또한 새내기 연기자라 이제껏 선배님들을 만나기 쉽지 않았기에 너도나도 가까이에서 보고 싶어 했다. 동시에 손님 접대도 해야 했기에 눈코 뜰 새 없이 바쁘게 돌아다니며 커피 주문을 받고, 서빙하면서 정신없이 보냈다. 탤런트 선배들을 보기 위해 지나가던 사람들까지 물밀 듯이 몰려들었다. 손님들은 서빙 하느라 바쁘게 움직이는 우리를 붙잡고 장래 예비 대스타 감이라면서 사인을 받아가기도 했다. 하루 종일 시간 가는 줄도 모르게 일하다가 밤이 되어 재료가 모두 떨어져서 마감했다.

남은 시간 동안 동기들과 함께 돈을 세어보니 찻집 임대료와 재료비를 제외하고도 이익금이 무려 30만 원도 넘게 남았다. 한 달 내내 연기해서 받은 출연료가 10만 원이 될지 말지도 모르는 시절에 30여만 원은 엄청난 수익이었다. 그렇게 많은 돈을 벌어서 좋은 일에 쓸 수 있다는 생각으로 동기들 모두 특별한 행복에 취했던 밤이었다. 우리 모두 서로가 단합해서 모든 일 처리를 했는데 결과는 대만족이었으니 얼마나 뿌듯했겠는가. 집으로 가는 발걸음이 새털처럼 가볍고 신이 났던 기억이 생생하다.

다음 날이 되어 우리는 당시 전라북도 이리역 화약 폭발로 엄청난 피해를 본 이리 이재민 돕기 성금으로 수익금 전액을 방송국에 전달했다. 이러한 행사는 그 전에도 없었고 그 이후에도 들어보지 못했다. 탤런트들의 일일 찻집으로 얻은 행복감은 지금까지도 자랑스럽게 여겨진다. 신문기사에도 실리게 되었다. 선배들은 자기들도 못한 일을 우리가 했다고 칭찬이 자자했다.

좋은 일을 하고자 하는 생각이 좋은 일을 만들 수 있다. 그날의 보람되고 감사한 결과가 누군가에게 도움을 주는 한 작은 불씨가 된 것 같아 기분이 참 좋았다.

신인 탤런트 일일찻집(왼쪽 검은 양복 길용우, 맨 오른쪽이 저자)

나는 그 멋지고 뿌듯한 행사를 끝으로 아쉬움을 뒤로한 채 탤런트 생활을 접고, 미국으로 떠나기 위해 김포국제공항으로 향했다. 고맙게도 동기와 선배들이 나를 환송해주러 많이 나와 주었다. 우리 MBC 탤런트들 모두가 외모만 멋진 게 아니라 의리와 마음까지 멋지다는 생각이 들었다. 가장 기억에 남는 것은 공채 1기 이정길 선배가 했던 말이다.

"너, 참 잘 간다. 가서 많이 배워라!"

얼마나 멋있었는지 40년이 지난 지금까지도 또렷하게 그 말 그대로 옮겨 적을 수 있게 되었다. 이정길 선배의 말에 큰 격려를 받은 나는 진짜로 잘 가서 많이 배우는 삶이 되었다. 먼 길 떠나는 새내기 후배를 살뜰히 챙겨준 선배에게 항상 감사를 드린다.

시작은 **바닥**부터

요즘 금수저, 흙수저 이야기를 듣게 된다. 나는 태어날 때는 금수저도 흙수저도 아닌 동수저 정도의 집안 형편이었다. 부유하진 못했으나 8남매의 막내아들로 귀여움을 받으면서 자랐으나, 중학교 때 아버님의 갑작스러운 죽음에 집안 형편이 어려워졌었다. 다행히 하낙순 선생님 덕분에 고등학교를 다시 다닐 수 있었고, 대학에 다니다가 입대했다. 그리고 탤런트 생활을 잠깐 하다가 집안의 반대로 미국에 가게 된 것이다. 미국에 돈을 많이 버는 자리가 보장되어 있어서 간 것도 아니었고, 한국에서는 탤런트 생활을 하다가 갔으니 아무 일이나 닥치는 대로 시작하기도 어려웠다.

그러나 어린 시절부터 운동을 하면서 힘든 시기를 보내온 나는, 모든 것을 내려놓고 맨 밑바닥부터 새롭게 시작할 수 있는 용기와 배짱을 가지고 있었다. 빈손과 맨몸으로 갔으니 맨몸으로 부딪치고 돌파하는 수밖에는 길이 없다고 생각했다. 미국행 비행기를 타고 가면서, 한국에서는 연예인이라는 생각을 비롯해 내가 품고 있던 낭만을 비행기 창밖으로 모두 던져버리자고 다짐했다.

미국에 처음 도착해서는 텍사스 주에 있는 조그만 도시로 갔다. 그리고 최대한 말을 적게 하는 직업을 찾았다. 왜냐고? 영어를 잘하지 못해서다. 우선 당장은 기계로 쇠를 깎는 일을 시작했고 그렇게 한 달여의 시간이 지나고 보니 듣고 말하는 수준의 아주 간단한 기본적인 회화를 할 수 있게 되었다. '말은 제주도로 보내고 사람은 서울로 보내라' 는 말이 틀림이 없었다. 더 큰 도시로 가야겠다는 결심을 하고 텍사스를 떠났다. 미국에서 유명한 관광지로 꼽히는 캘리포니아 주 샌프란시스코 근처의 몬터레이라는 도시로 갔다. 현지인들은 이곳에서 '천국이 따로 없다' 는 말을 자주 사용한다. 항상 봄, 가을 날씨였고 하얀 모래밭이 있는 카멜 비치와 해변을 끼고 이어져 있는 수많은 골프코스가 환상적이었다. 태평양을 향해 샷을 날릴 수도 있었고, 골프를 칠 줄 아는 사람들은 '페블 비치' 라고 하면 모르는 사람이 없을 정도로 유명한 바로 그곳이다.

좋은 경치와 기후 덕에 이곳에는 일 년 내내 세계 각지에서 온 관광객이 구름처럼 모여들었다. 관광업을 주로 하기 때문에 호텔과 식당이 많아서 서빙직을 모집하는 곳은 흔했다. '버스 보이' 라고 하는 서빙직인데 주로 손님에게 물잔을 주고 식사가 끝나면 그릇을 주방에 갖다 놓는 일이었다. 그곳에서 며칠간 잡일을 하였다. 또 원예농장에서 일하고 있다가 주변 지인의 젊은 친구를 통해 드디어 내가 제2의 고향이라는 실리콘 밸리라 부르는 산호세에 가게 되었다(이곳에서 아내를 만나 아이들을 낳고 20여년 가량을 살게 된다). 그 젊은 친구의 직업은 청소부였다. 미국에서는 누가 공항에 마중을 나오는 것에 따라 직업이 정해지는데 나도 그 친구를 따라 별 수 없이 청소 일을 시작했다. 처음 한 일은 미국 은행(Bank of America)빌딩의 청소였다. 은행 사무원들이 퇴근한 밤에 청소해야 했기에 저녁 5시가 되면 셋집에서 마른 빵 한 조각 먹고 출근했다.

나는 원래 아침형 체질인데 밤에 일하고 낮에 잠을 자는 일이 익숙하지 않았다. 적응하려고 노력했는데도 늘 힘들었다. 힘들었지만 열심히 일했고, 돈도 조금 모으면서 버티던 중이었다. 청소 일을 한지 두 달이 지났을 때, 한국에서 유학 온 젊은 친구들과 같은 집에서 살던 한 친구(이용호-현재 딜로이트 안진회계법인 부회장)가 제안을 해왔다. 자신이 일하는 슈퍼마켓(식품가게)에서 직원을 구하고 있다고 했다. 내가 밤마다 일하는 것을 안타까워하던 친구였다. 나는 친구의 제안을 받아들여 슈퍼마켓으로 가서 같이 일하게 되었다. 그곳에서 고기도 잘라주고 상품진열을 해주는 일도 하게 되었다. (그때 1978년 아르바이트로 유학생활을 하던 친구들 중 이용호를 비롯해 강효석, 고완석, 윤석헌, 정구열과 사귀게 되었는데 거의 40년째 알고 지냈는데 현재 모두 대학 교수로 재직 중이다)

미국 유학생활 중 만난 친구들과 함께(맨 왼쪽이 저자)

그 후 전자회사에서도 미국 젊은이들과 몇 달간 일했었는데 크게 인정받았던 기억이 생생하다. 전자부품과 부품을 연결하는 케이블을 만드는 곳에서 한 달이 지나는 동안 하자 없이 잘 만들자 품질검사(QC)를 나에게 맡겼다. 일하는 동료들이 만든 제품을 검사하는 일이었는데 내가 얼마나 꼼꼼했는지 동료들 사이에서 독수리 눈(Eagle Eye)이라는 별명까지 생겨났다. 나 때문에 일을 못 하겠다는 여직원 한 명은 눈물을 흘리기까지 했다고도 했다. 그 일로 매니저가 왜 그랬느냐고 묻기에 잘못된 제품을 가려내는 일인데 뭐가 잘못된 거냐고 되묻기도 했다. 매니저는 내 방식이 옳다고 하며 검사를 계속 나에게 맡겨주었다. 성실해야 하고 정확하게 일하는 것을 철칙으로 삼은 내 방식은 결국은 어디서나 통하는 법이었다. 온전하게 맨몸으로 터득한 바닥 생활은 이후에 큰 사업을 하면서도 그대로 적용되었고 내 정체성이 돼주었다.

낯선 타국에서 허드렛일부터 배우면서 시작했고, 그 후 길거리 장사와 여러 가지 직업을 전전하면서 미국 밑바닥 사회를 알게 되었다. 어디서 무엇을 하든지 밑바닥부터 생활해야 제대로 폭넓게 알 수 있다고 생각한다. 젊은이들도 금수저와 흙수저를 논하기 전에, 스스로 흙수저 같은 밑바닥을 제대로 경험해보고 성공해서 '나의 자녀는 금수저로 만들겠다' 는 각오로 일하면 좋겠다.

훗날 성공할 것에 대해 예측해보자. 밑바닥부터 차근차근 올라가는 게 최고의 예측이고 준비가 될 것이다. 상하이에서 한인회 회장을 하고, 미스코리아 딸들과 함께 7개 국가에 사업을 하는 지금의 내가 있게 될 것을 그 당시 그 누가 알았겠는가!

한 번 **실수**를 재산으로

1978년 겨울, 내가 미국으로 가기 3일 전 이야기다. 먼 길을 떠나는 나를 위해 친구들이 송별회 자리를 마련했었다. 친구는 누구에게나 소중하고, 때로는 부모나 가족보다 더 많은 이야기를 나누며 진한 정을 나누는 존재이다. 젊은 날 군대에 간다고 해도 전역하는 날이 정해져 있고 중간에 휴가도 나오기도 해서 만남을 기약할 수 있지만, 나의 경우는 달랐다.

내가 미국으로 떠나려는 시기만 해도, 외국에 나가는 사람들이 많이 없었다. 게다가 미국으로 떠난 뒤에 언제 다시 한국으로 올지도 모르는 상태였다. 친구들은 영원히 못 볼 수도 있는 사람이 떠나는 것처럼, 나보다 더 안타까워 해주었다.

그렇게 내 출국을 빌미로 오랜만에 친한 친구들이 모두 모일 수 있었고, 자리는 나이트클럽까지 이어지게 되었다. 슬픈 송별회 자리로 모였다가 신나는 춤판이 벌어졌다. 거기까지는 좋았다. 술자리를 파할 무렵 친구들과 취객들이 실랑이가 붙게 되면서 상황이 달라졌다. 나는 3일 뒤에 미국에 가야하는데 의미없는 일에 시간을 허비할 수는 없었다. 친구들과 취객들을 떼어내고 말려도 보았지만 여러 명 모두를 말리는 것은 혼자 힘만으로는 역부족이었다. 이미 한두 명의 싸움이 벌어졌다.

결국, 우리는 모두 경찰서에 갔고 즉결심판에 넘겨졌다. 당시의 법으로는 폭력에 연루돼서 즉결심판에 가게 되면 무조건 1주일간의 구금을 해야만 했다. 나는 판사에게 자초지종과 함께 3일 뒤에 미국으로 떠난다는 말을 하며 선처를 부탁했다. 판사는 그렇게 중대한 일을 앞두고 조심했어야 한다며 나와 친구들에게 벌금형을 내렸다. 판사는 내가 불쌍했는지 돈 4천원의 벌금을 내고, 영하 18도의 밤에 풀려나올 수 있게 해주었다. 벌금을 내고 목욕탕에 가서 어리숙한 20대 청년 시절의 실수는 이것으로 끝내리라고 맹세했다.

미국 들어가기 전 고국에서의 요란한 이별식을 치른 것이다. 요란하면서 혹독하게 20대를 정리하고 깨끗이 새 출발 할 각오를 다진 날이기도 했다.

그 뒤로 만만치 않았던 미국 생활 25년, 중국 생활 15년을 거치면서 내 나름대로 인생의 중심을 잡게 되었다. 지금도 가끔 젊은 시절을 돌아볼 때가 있다.

그날의 기억이 너무나 뚜렷해서 40년이 흐른 지금까지도 생생하다. 상하이 한인회장을 맡으면서 많은 건배를 하고 술을 마시는 동안, 나는 한 번도 주정을 부려본 적이 없다. 오히려 정신을 가다듬고 언행에 실수가 없도록 바짝 긴장하는 시간으로 만들었다. 내 경험도 그렇고 술 마시고 실수하지 않는 사람들의 공통점은 실수하지 않기 위해 정신을 똑바로 차린다는 것이다.

진정 자신을 사랑하고 아끼는 것이 무엇인지에 대해 진지하게 생각하며 자신에게 득이 될 일들을 찾아서 해보자. 그것은 자기계발이어도 좋고, 심신을 건강하게 하는 취미여도 좋다.

누구에게든 실수가 있을 수는 있다. 그 실수를 다시는 반복하지 않을 큰 재산으로 만들어 보길 바란다. 나도 항상 처음의 마음과 첫 미국행을 기억하며 한 번 실수를 통해 큰 깨달음을 얻은 것에 의미를 두고 있다.

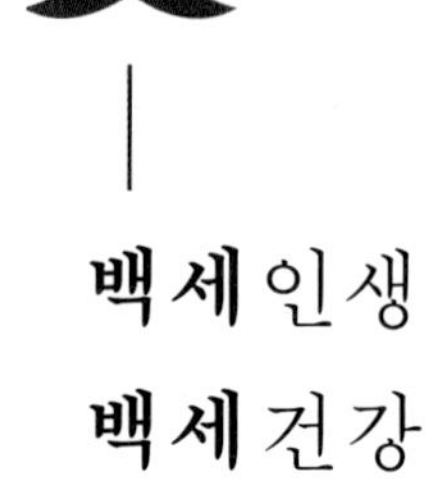

백세인생 **백세**건강

사람들을 만날 때마다 그들이 내게 어김없이 물어오는 말이 있다. "나이가 60도 넘었는데 어떻게 그런 날씬하고 탄탄한 몸매를 유지할 수 있냐"고 말이다. 어릴 적에는 왕갈비라는 별명으로 지낼 만큼 깡마르고 볼품없이 약해보이던 내가 현재는 남들이 부러울 만큼 건강한 모습으로 지내고 있는 것이다.

나는 고등학교를 졸업하고 재수할 무렵의 키와 몸무게가 그대로 유지하고 있다. 175센티의 키에 69킬로그램의 몸무게다. 40년 넘게 유지하고 있는 중이다. 타고난 체질이 아니다. 건강하게 살고 싶은 바람으로 많은 노력을 기울여서 유지해왔다.

젊었을 때는 유도와 합기도 수련을 통해 체중 조절을 했고, 나이 들어서부터는 과격한 운동보다는 아령과 스트레칭, 산보로 하루 세 시간 정도를 매일 하고 있다. 하루 세 시간씩 운동한다고 말하면, 사람들은 어떻게 그럴 수 있냐고 다시 물어 온다. 알고 보면 내 방법은 특별할 것 없이 누구나 할 수 있는 간단한 방법이라서 자랑하기가 멋쩍기도 하다. 하루 3회로 나누면 한 번에 할 때는 한 시간씩밖에 되지 않는다. 그리고 솔직히 말하자면 내 하루 운동 시간은 최소 세 시간이다. 아침에 일어나서 잠들 때까지 계속 운동을 한다고 보면 된다.

매우 간단한 건강 비법을 소개하고 싶다. 누구나 아침에 눈을 뜨면 이부자리에서 일어나는데, 나는 그 시간을 지체하며 스트레칭을 한다. 나는 새벽 5시 전후에 잠에서 깨 침대에서 바로 내려오지 않고 스트레칭을 하면서 30여 분을 보낸다. 벌떡 일어나거나 얌전하게 뭉그적거리며 일어나는 것보다 훨씬 개운한 아침을 맞이할 수 있다. 침실에서 30분간의 스트레칭 후 30분 동안 동네 한 바퀴를 돌아본다. 이렇게 하면 아침에만 벌써 한 시간의 운동을 마치는 것이다.

그러면 이제 운동 시간은 두 시간만 남게 된다. 집을 나와서는 일부러 운동시간을 따로 정하지 않아도 된다. 사무실에서 업무를 보거나 이동하는 모든 시간을 운동하면서 보낼 수 있게 때문이다.

지금 눈으로 책이나 컴퓨터를 보고 있는 이 시간에도 운동은 계속할 수 있다. 책을 잡은 손 말고, 놀고 있는 손을 쥐었다 폈다 하는 쥐엄쥐엄을 해보자. 아무리 세게 쥐엄쥐엄을 해도 몸에는 절대 무리가 가지 않고 효과는 크다. 쥐엄쥐엄을 할 때 힘 있게 하고, 뒤로 손바닥을 쫙 펼 때도 뒤로 힘 있게 하는 게 좋다. 손안에 물체가 있다는 사실을 잊지 않고 자주 할수록 좋다. 피로 회복은 물론 더 나아가서는 치매 예방까지도 자신 할 수 있다.

나는 시간만 나면 운동을 하거나 산보를 하면서 사업과 인생에 대해 연구하기도 한다. 철학자 '괴테'도 생활 속에서 자연스러운 산보를 하면서 많은 영감을 얻었다고 한다. 인생을 살아가는 데 있어, 산보가 그만큼 좋다는 이야기이다. 소화에도 도움이 되고 컨디션도 좋아진다. 그리고 나머지 한 시간은 저녁식사 후 새벽에 한 것처럼 잠들기 전에 산보와 스트레칭으로 마무리를 한다.

하루 종일 운동한다고 하는 이유는 운동의 종류도 많고 그만큼 시간도 길기 때문이다. 굳이 운동을 하는 시간을 따로 정하지 않아도 될 만큼 그냥 습관이 되어버렸다. 집에서 TV 시청을 할 때도 소파에 앉아 얌전하게 앉아있지 않고 실내 자전거를 탄다. 일어서서 한 발을 들고, 들린 발을 양 손으로 등 뒤로 잡아 위로 당긴다. 상체는 굽어지고 한 발은 중심을 잡느라 힘이 들어간다. 또 다른 TV 시청 방법은 누운 채로 고개를 들고 다리를 들어 허공에 자전거 페달을 굴리듯 굴린다. 앞으로 전진 하는 발굴림이 있고 뒤로 굴리는 방법 있다. 뉴스를 시청하는 경우라면 귀만 열어도 충분하지 않겠는가.

손님들과 차를 마실 때도 테이블 아래에서 손으로 쥐엄쥐엄을 하거나 발을 조금씩 들어보는 시간을 갖기도 한다. 발을 들게 되면 배에도 힘이 들어간다. 업무 중에도 습관처럼 한다. 이렇다보니 내 일상은 하루 종일 운동을 하는 것이나 마찬가지다.

백세까지 산다는 것이 마냥 좋기만 한 것도 아니라는 생각도 해봤다. 아픈 몸으로 오래 산다면 본인과 가족들에게는 재앙이 될 수도 있다. 건강한 몸으로 백세를 산다면 그보다 더 오래 살아도 무방한 일이다. 가족과 행복하게 오래 살고 싶다고 하면서 왜 몸은 게으름만 부리는지 이해가 되질 않는다. 무조건 백 살까지 살게 될 운명이라고 생각하고 꼭 건강을 챙기려고 작정하자.

언젠가 골프연습장을 갔는데 사람들이 너무 많아서 한 시간 정도 대기하라는 말을 들은 적이 있다. 그 일이 있고는 연습장에서 발을 끊었다. 나는 골프라는 운동의 정의를 '몸을 한 번 뒤틀었다가 다시 원위치를 시키는 운동이다' 라고 생각했다. 굳이 한 시간을 기다리면서까지 그 장소에 있을 필요가 없다고 판단하고 집으로 왔다. 골프채 절반 사이즈의 연습용 채를 들고 산보를 했다. 사람이 없는 곳을 걸으면서 스윙 연습을 하는 것이다. 연습장보다 더 넓은 자연 속을 걸으며 스윙 연습을 하니, 돈도 아끼면서 다리운동까지 할 수 있지 않은가. 스윙연습을 하면 오십견도 오지 않을 것만 같다. 폼도 필요 없이 내 마음대로 휘두르며 제대로 운동하는 효과를 볼 수 있다.

나는 요가의 정의도 내 마음대로 정했다. 요가는 한마디로 '스트레칭' 이다. 경직된 몸과 마음을 풀기 위해 하는 게 요가라고 생각한다. 많이 움직이면 몸은 풀리게 마련이다. 과격하게 할 필요도 없다. 빠른 시간 안에 몸을 만들기 위해 무리하게 운동하면 오히려 건강을 해칠 수도 있다.

우리 모두 건강하게 살면 좋겠다. 좋은 사람들끼리 오래오래 건강한 몸으로 잘 지내는 것이 우리 모두의 바람이 아니던가. 돈과 명예를 잃으면 인생의 절반을 잃은 것이고, 건강을 잃으면 전부를 잃는다고 한다. 정기적으로 건강검진을 하고 매일 운동을 하면서 체중 관리 등 좋은 습관을 만들어 간다면 누구보다 건강한 삶을 살 것이다.

03

고민대신 연구하라

나만의 원칙으로 과감하게 **승부**하자

"90억 원 밑으로 견적을 내야만 가능성이 있습니다."

몽골(몽고 사람들은 몽골로 부르기를 원한다) 울란바토르 신공항건축 내부 공사 일을 수주하려 견적을 내게 되었을 때, 임원들이 한 말이다. 몽골공항의 내장 공사비용이 100억 원대의 대규모 공사여서 경쟁이 치열했다. 업체들은 앞 다투며 입찰에 나섰고, 저가로 입찰할 태세를 보이는 정보들을 입수하던 때다. 나도 그렇다는 사실은 이미 알고 있었다. 그러나 이번에는 아무 정보도 없는 몽골이라는 나라에서 무턱대고 공사에 참여하게 되면 어떤 일이 생길지를 모르는 공사였다.

나 또한 연구하기 시작했다. 거꾸로 계산하는 방식이었다.

몽골은 겨울이 길고 온도가 영하 40도까지 떨어지는 매우 열악한 기후 조건을 가지고 있으니 공사에만 집중할 수 있는 기간이 다른 지역에 비해 아주 짧을 것으로 판단했다. 노동 인력과 예기치 않게 변할 수 있는 기후까지 고려하면, 완공까지 변수가 많겠다는 예측이 나왔다. 그런 위험까지 감수하면서 만족할만한 공사를 하려면 초기 견적에 알파를 더 얹어야 했다. 임원들의 의견은 경쟁하는 업체들이 많아 얼마에 입찰할지 모르니 90억 밑으로 견적서를 올려 큰 계약을 받기를 희망했다. 최종적으로 내가 결정해야 했다.

"100억 밑으로는 받지 말라. 아니면 철수하라."

결국, 우리는 102억을 써냈다. 다행히 우리가 공사 수주를 따내어 베트남, 말레이시아에 이어 몽골로도 진출하는 계기가 되었다. 몽골공항의 내장공사를 수주할 때 100억대 수주로 장시간의 회의를 하며 있었던 에피소드다.

2008년, 동종업계 중 처음으로 베트남 호치민에 진출한 공사에서 어림잡아 몇억 원대의 손실을 기록한 적이 있다. 수업료라고 하기에는 큰돈이었지만 관계를 유지하고 최선으로 공사하며 마무리 지은 적이 있다. 한마디로 손해를 보면서까지 잘 해준 공사를 누가 알아주었는지, 하노이까지 진출하여 베트남 단일 공장으론 가장 큰 삼성 휴대폰 공장 건축을 할 기회를 얻었다. 호치민에서는 손실이었지만 하노이에서는 합리적인 견적을 제시해 성공적으로 자리 잡을 수 있었다. 곧바로 말레이시아와 몽골 진출까지 또 필리핀, 헝가리로 이어졌으니 헛되이 날린 수업료는 아닌 셈이 되었다. 미국을 시작으로 영국으로 그리고 현재 중국 및 동남아시아 등으로 진출한 이 같은 나의 도전의식 덕분에 우리와 같은 일을 하는 동종업계 회사들을 제치고 우리나라가 최초로 선점하게 된 것이었다.

2009년 베트남 하노이에서의 일이다. 큰 공사를 앞두고 머리를 써서 한참을 연구한 일이 있다. 규모가 큰 공사를 하다 보면 그 공사의 이행을 보증하기 위한 안전장치들을 요구하게 된다. 공사의 기한과 완공에 대한 이행보증증권은 물론 일정액의 담보도 제공해야 한다. 돈을 쌓아두고 하는 사업이 아닌 이상, 여러 나라의 현장에 걸친 공사들에 전부 현금을 예치해 놓기는 힘들 때가 있게 마련이다. 그럴 때 이용하는 것이 보증보험회사들이 제공하는 보증보험증권이다.

큰 공사(1,000여만 불)를 어렵게 수주했는데 공사금액이 큰 만큼 이행보증금도 만만치 않게 큰돈이 나왔다. 모 은행 하노이 지점을 찾아갔더니 이행보증금액의 10%(거의 100만 불)를 물적 담보로 잡아야 한다며 막무가내로 담보를 요청했다. 은행지점과의 안면을 튼 지도 얼마 되지 않던 때라 지점장은 깐깐하고 정확한 업무처리를 원칙으로 하고 있었다. 어려운 상황이었지만 이러한 난관이 한두 번이겠냐 하면서 헤쳐 나가야 했다. 대기업 공사라 무조건 공사를 진행만 하면 될 일이니 물러설 수는 없었다. 기지가 발휘되었다.

"당신 은행도 베트남에 진출한 지 얼마 안 되었으니 이 기회에 대기업과 인연을 맺으면 좋지 않겠습니까? 우리 발주처가 대기업이니 그곳 담당들도 소개해주고 공사대금이 들어오는 대로 바로 은행으로 보내줄 테니 그 통장의 입금내용을 담보로 대신하면 어떻겠습니까?"

내가 먼저 제안을 한 것이다. 건설업체들이 흔히 빠지기 쉬운 현금 유동성의 위기를 이렇게 풀어낸 것이다. 필요한 절차를 따라가고 지키되 재량 범위 내에서 최대한 가능한 수를 먼저 제안해서 어렵사리 해결된 사례였다.

하나는 일을 제대로 하기 위해 손해나지 않을 방법을 택하느라 제값으로 견적을 냈고, 또 하나는 반드시 수금할 수 있는 공사를 담보 부족으로 놓칠 상황에서 승부수를 띄운 것이다.

진심은 전해진다

2015년 베트남에서 사업을 한 지 몇 년 만에 세무공무원을 만나서 담판 지을 때도 과감하게 부딪쳤다. 꼼꼼한 것도 어느 정도가 있지 작정하고 꼬투리를 잡으려고 하는 원칙 이상의 업무처리에 직원들이 지쳐버렸다. 내가 직접 나서달라고 요청하는 간부들의 말에 결국 세무 공무원을 만나게 되었다. 당시 나는 베트남 말을 하나도 못 알아듣고 말하지 못할 때였다.

사실 나는 여러 나라에 사업을 하고 있지만 각 나라의 언어에는 도통 자신이 없다. 미국을 위시하여 여러 나라를 다녀보면 각 나라의 거지와 노숙자들을 많이 볼 수가 있다. 그 사람들이 자기 나라말을 못해 그렇게 살고 있겠는가? 말을 잘한다고 잘 사는 것은 아니다. 그런 생각을 하고 있기에 어느 나라를 가더라도 겁을 낸 적이 없다. 다행히 젊은 시절 미국에서 살았기에 영어는 어느 정도 하니, 외국 드나들 때 필요한 영어를 하면 되는 것이다. 하여간 베트남 통역을 통해 담당 세무서 직원과 얘길 하면서 그 사람의 얘기를 성실히 받아쓰고 듣기를 하며 중간마다 부족한 점을 인정했다.

세무 공무원이 잘못된 것을 지적하면 "맞다"고 대답하며 "우리 회사와 내가 부족한 것이니 당신의 도움이 필요하다"고 덧붙이며 그 사람의 자존심을 최대한 살려주었다. 대화를 한 시간여 끝에 끝내면서 더 할 이야기가 없는지 물었더니 없다 하여 "그러면 혹시 당신이 알고 있는 좋은 회계사를 우리 회사에 소개해주기 바란다"는 부탁을 마지막으로 했다. 세무 공무원의 얼굴에 잠깐 스치는 표정을 보니, 날카로운 눈빛으로 조금 동요를 보이는 것을 알 수 있었다. 나는 통역과 배석자들에게 모두 나가달라고 하고 문을 닫아걸었다. 담당 세무 공무원은 당황한 듯 움찔했다. 회장이라는 사람이 말도 통하지 않는 곳에서 베트남 세무 공무원과 단둘이 남는 초유의 경험을 하게 된 것이다.

나는 간단한 영어와 고맙다는 베트남말로 간곡하고 단호하게 업무협조를 요청했다. 상대방이 내 말을 알아들었는지 몰랐는지 알 수 없었지만 진심 어린 신뢰의 말이 감정을 통해 전달되었는지 차분하게 들어주었다. 보통은 접대나 물량 공세를 통해 잘 봐달라고 하는 게 대부분일 텐데 전혀 새로운 방식의 대화를 나눈 것이다. 그 사람은 자기가 데려온 직원들과 함께 가버리면서 필요한 것이 있으면 이메일로 알려 주겠다며 돌아갔다. 그 후 담당 세무 공무원은 나와의 첫 만남 이후에 절친한 관계가 되어 그와 맺은 좋은 인연을 소중하게 이어오고 있다.

사업을 하며 늘 힘든 고비를 겪었지만 나는 언제나 당당하게 정공법으로 승부수를 던지는 기질을 보였다. 그만큼 진실하게 일해주고 정당한 대가를 요구했다. 내가 생각하는 정의는 이런 것이고 젊은이들도 내가 생각하는 정의에 동감해주면 좋겠다.

지구촌에 있는 어느 나라에서든, 진심은 통한다. 자신을 믿고 당당하고 거침없이 임하길 바라는 마음 간절하다.

Believe Me!
자기 자신을 믿고 행동하는 자야말로 최고의 승리자다.

벼룩시장과 구두수선창업

80년대가 되면서 넷째 형이 내가 살고 있는 미국 산호세로 왔었다. 형은 고려대학교를 졸업하고 조흥은행에 입사했다. 몇 년 동안 저축한 돈을 미국에서 몇 년간 혼자 고생하는 동생인 나를 위한다고 그 돈으로 스케이트장을 차리고 돈을 벌어 나와 같이 미국에서 잘 지내려 했다. 하지만 그해 운이 안 따랐는지 추위가 없어서 장사를 망치고 무일푼이 되어 미국으로 건너오게 되었다.

한국인들이 미국에 처음 오면 하는 일이 정해져 있다. 공항에 누가 마중을 나오느냐에 따라 직업이 결정된다는 우리끼리 말이 있는데 딱 맞는 표현이다. 예를 들어 페인트 직업을 가진 사람이 마중 나오면 그다음 날부터 페인트 김이 된다. 혹은 윤

펌프(주유소에서 일하는 사람), 달러 한(프리마켓 장사) 등의 이름으로 미국 생활을 시작한다. 마중 나간 나는 그때까지도 별 볼 일 없는 전자 회사 말단 이라 형은 미국에 와서 백수로 시작해야 했다. 당시 미국 경기도 좋지 않던 때(80년대 초반 석유파동)라 형이 할 만한 일은 별로 없었다. 형은 부지런히 정보를 얻으러 다녔고 드디어 사업을 하게 되었다. 사업이라 표현하면 너무 거창하지만, 우리가 직접 장사를 하게 되었으니 틀린 말도 아니다. 형은 우선 평일에 길거리 장사를 했고, 주말에는 둘이 함께 벼룩시장에서 장사하게 되었다.

미국에서 노점상 할 때

나는 탤런트 출신이고 형은 은행원 출신이지만 그런 것에 아랑곳하지 않고 밑바닥부터 기었다. 둘은 주말 시장으로 나가서 좌판을 펼쳤고, 온종일 태양 빛 아래에서 각종 물건을 팔았다. 선글라스, 신발, 모자, 가방, 장난감, 시계, 양말, 청바지를 막론하고 무엇이든지 닥치는 대로 팔았다. 한 달 임대료 5백 달러를 주고 한 달에 2천 달러를 벌었다. 공터에서는 아침에 일찍 도착한 순서대로 자리를 잡을 수 있는 표를 나눠주고는 했다.

벼룩시장에는 중고품들을 비롯해 음식 장사까지 줄지어 서 있었다. 지금처럼 온라인 유통망이 있지 않던 때라 우리가 취급하는 오디오와 선글라스는 큰 인기가 있었다. 그렇게 번 돈을 두 명 몫으로 나눠보면 어떤 때는 주 1천 달러를 버는 것이었고, 한 달에 넉 달 치 월급을 버는 셈이니 상당히 짭짤한 장사였다. 하지만 매번 수입이 있는 것은 아니었다. 비가 올 때는 장사를 전혀 하지 못했다. 당시 한국에서 아메리칸 드림 즉, 꿈만 안고 오신 분들이 많이 있었고 우리처럼 적은 자본으로 노점상부터 시작하는 사람도 적지 않았다.

푼돈이 모이면 큰돈이 되는데 사람들은 벼룩시장을 우습게 안다. 주말이 끝나고 평일이 되면 나는 직장으로 출근하고, 형은 도매점에 가서 물건을 받아 주 중에 열리는 시장으로 가서 장사했다. 그렇게 하면 웬만한 직장인보다 벌이가 좋았다. 형은 주중과 주말에 계속 장사를 하고 난 드디어 가게를 얻어서 정식으로 사업을 하게 된다. 그것은 바로 구두수선가게다. 1980년대 중반에 한인 사회모임에서 구두수선에 관련된 정보를 듣게 된 것이 계기가 되었다. 한국에서 방송했다는 이유로 모임이 있을 때면 내가 마이크를 잡고 사회 보는 일이 잦았다. 그날도 사회를 마치고 다 같이 식사하는 중에 사업가 한 분이 내 자리로 찾아왔다. 나이는 나보다 한참 위였는데 대뜸 하는 말씀이

"이봐 자네 눈에는 어떻게 보일지 모르지만, 구두수선을 주시해봐! 기술도 배우기 쉽고, 투자금도 얼마 안 들어가고 벌이도 쏠쏠하다네. 슬슬 결혼도 준비해야지."

마지막에는 윙크하듯 의미심장하게 눈까지 끔뻑였다. 그 순간에는 별로 마음이 내키지 않았지만, 생각할수록 구두수선은 시작이 쉬울 것 같았다. 한국에서는 가장 밑바닥 직업으로 생각한 적이 있었던, 생전 안 해본 구두수선을 한다니. '그래도 나는 공채 탤런트 출신인데…' 하는 생각이 아직 마음 한구석에 있었다. 하지만 그런 정신은 버린 지 오래전 아닌가! 그래 이

것도 해보자, 어디까지 가겠냐 하면서 악착같이 일을 배우게 되었다.

구두수선가게 사장 시절(흰 옷이 저자)

나는 한 번 결심하면 밀어붙이는 성격이라 당장 기술을 배웠고, 이내 가게까지 얻어 설비까지 갖추고 일을 시작했다. 당시 미국사람들은 보통은 새 구두보다 낡은 구두를 선호했다. 발에 맞게 길들어 편해서인지 알뜰해서인지는 모르겠다. 덩치가 커서 발도 크기에 그런 것인지 모르나 신던 신발을 계속해서 사용했다. 특히 구두 밑창을 많이 바꾸는데 창 한번 갈아주는데 30달러를 받았다. 일감이 많은 날에는 일당 아르바이트까지 고용할 정도였으니 노점상보다 안정적인 수익을 올리게 되었다.

밑바닥 하찮은 사업이라지만 구두수선으로 일반 회사원 생활보다 확실히 많이 벌었고, 매력적인 사업이었다. 생활비와 집세를 제외하고도 돈을 모을 수 있었다. 당시에 산호세에서는 이탈리아인과 한국인들이 구두수선과 세탁업을 많이 했다. 거기에서 돈을 모으면 세탁소나 식료품점이나 식당으로 옮기는 것이 당시에 정해진 코스처럼 되었다.

'젊은 시절 고생은 사서도 한다'라는 말을 실천하듯, 그렇게 청소부터 구두수선까지 미국에서 밑바닥 생활을 하면서 참다운 인생을 하나씩 배워나갔다. 더불어 삶에 대한 걱정이나 두려움도 없어지게 되었다. 지금 생각해도 그러한 일을 경험한 자체가 내 인생의 밑거름이 되어 주어 지금의 나를 만든 게 틀림없다.

젊은이들이여, 무슨 일이든 옆 사람 눈치 보지 말고 아무거나 해주기 바란다.

DO IT NOW!

개같이 벌어서 **정승**같이 쓴다

'개같이 벌어서 정승같이 쓴다' 는 속담은 미국의 교민신문에 실린 내 기사의 헤드라인이었다.

내가 구둣방을 차린 이듬해의 일이다. 중 · 고등학교 동창인 김현식이란 친구가 미국으로 구경을 왔을 때다. 우리 집에 온 처음 이틀은 어디 놀러 갈 궁리만 하던 녀석이 사흘째부터 내 구둣방에 드나들더니, 나흘째 되던 날에는 아예 궁둥이를 붙이고 앉았다. 그때 나는 그 친구가 물어보는 말에 건성으로 대답하면서 손님이 맡긴 구두 밑창을 열심히 뜯어내고 있었다.

"한영아. 너 폼이란 폼은 다 잡고 다니던 멋쟁이에 탤런트까지 하던 놈이 왜 하필이면 구두수선이야?"

"그게 어때서? 개같이 벌어서 정승같이 쓰려고 그런다, 왜!"

나는 두 손을 부지런히 놀리면서 머리도 들지 않고 대꾸했다. 속으로야 '그래, 나도 한때는 한국에서 탤런트도 하고 멋을 부리던 시절이 있었지. 세상이 맷돌짝만큼 작게 보였지' 하는 생각은 했지만, 말은 다르게 나간 것이다. 이제 그런 것을 따져보았자 뭐하겠는가! 다 지난 시절의 이야기였다. 밑창을 다 뜯어내고 미리 맞춰 놓았던 새 밑창을 붙이려고 갈고리처럼 생긴 송곳으로 구두 바닥에 구멍을 내어 바느질했다. 걱정스러움과 호기심이 뒤엉킨 눈으로 나를 바라보던 친구는 그날부터 내게 구두수선 기술을 배우기 시작했다. 그러면서 하는 말이 이제 나도 너에게 기술이라도 배워 나중에 어디 이민을 해서 자기도 구둣방을 차리고 돈을 벌어 번듯한 집도 사고 예쁜 색시도 맞아들이겠다는 것이다. 결국, 그 친구는 호주 멜버른으로 가서 밑바닥 생활을 시작하였고, 지금은 호주에 사는 한국인 중에서는 제일 잘 나가는 성공한 사업가가 되었다.

사람들이 온갖 더러운 것을 밟으며 함부로 다루는 구두를 수선하는 일. 말 그대로 가장 밑바닥과 관련된 일로 돈을 버는 생활을 하다 보니 나도 모르게 도가 트이는 느낌이었다. 얼핏 보면 천하다고 생각될 수 그 일이 나는 하나도 부끄럽지 않았다. 그저 아! 이것이 나의 운명이구나 생각하며 열심히 살아야겠다고 다짐했다. 그렇게 살던 중에 산호세에서 교포신문사(Korea Post)를 하는 신예선 작가가 취재를 와서 신문에 내 이야기가 실리게 되었다. 그렇게 맺어진 신예선 작가와의 인연은 지금까지도 이어지고 있다. 그 신문에 내가 그린 만평도 실렸다.

Korea Post에 실린 내가 그린 만평

당시 신문에 실린 기사의 헤드라인은 친구에게 말한 그대로 '개같이 벌어서 정승같이 쓰겠다'라고 쓰여 있었다. 내용은, 한국에서 탤런트 공채출신이었던 젊은 총각이 미국에 와서 구두수선을 하면서 열심히 살고 있다는 것이었다. 일말의 거짓이 없는 기사였다. 밑바닥에서 땀 흘려 일하는 것에 만족했던 그때, 살면서 어려움을 겪은 적은 많지만, 단 한 번도 내 생활에 실망하거나 불평한 적은 없었다.

그렇게 긍정의 힘을 스스로 불어넣으며 일하던 어느 날 사고가 터졌다. 친구 현식이가 나한테 기술을 배우며 구둣방 일을 시작한 지 한 달여가 되던 때였다. 내가 구두를 찾아가는 손님을 배웅하러 밖에 잠깐 나왔을 때 갑자기 비명이 들려왔다. 작업장에 들어와 보니 이 친구가 정신을 어디 다 팔았는지 구두 바닥을 뚫는다는 걸 앞치마만 두른 자신의 허벅지를 굵직한 갈고리 송곳으로 찌른 것이다. 눈물을 머금고 있는 친구의 허벅지에서 갈고리 송곳이라 빼내는 게 상당히 힘들었는데 친구는 얼마나 아팠을까 싶다. 응급처치하고 병원에 데려다주었다. 작업장으로 돌아온 나는 다시 열심히 일하고 있는데 친구가 절뚝거리면서 가게로 오는 것이었다.

“야! 현식아, 너 오늘 일하지 말고 쉬어!”

“무슨 소리야. 나도 너처럼 개같이 벌어서 정승같이 살아야 하니까 더 일해야지.”

둘은 낡은 구두들 사이에서 한바탕 크게 웃었다. 친구는 비자 유효기간이 만료가 되면서 한국으로 다시 들어가야 했다. 친구의 귀국 전날 밤, 우리는 서로 부둥켜안으면서 '꼭 성공하자!' 다짐하며 눈물을 흘렸다.

친구는 1년 후에 호주로 건너가 미국에서 내게 배운 노점상부터 시작해서 열심히 일해서 큰 돈을 모았다. 함께 울고 웃으며 더 나은 미래를 약속했던 김현식. 성공이 어떤 기준인지는 모르지만 나는 딸 셋을, 현식이는 아들만 셋을 두고 남부럽지 않게 살고 있으니 '개같이 벌어 정승처럼 살겠다'는 서로의 약속을 지킨 셈이다.

콧수염 보안관의 학교사수작전

어린 시절부터 내게는 여러 별명이 있었는데 그중 어른이 되어서 생긴 '상하이 콧수염'이란 별명이 제일 마음에 든다. 편안하기도 하면서 재미있게 들린다는 주변의 말에 힘입어 나 스스로도 즐겨 쓴다. 상대방에게 전화를 걸어서 신원을 밝힐 때도 "상하이 콧수염입니다"라고 말을 꺼내면, 십중팔구 듣는 이들은 웃어 주었고, 긴장이 풀려서 다음 대화가 편하게 잘 이어진다. 별명이 사람을 하나의 방법으로 쓰이는 것이다.

내 자랑은 아니지만, '상하이 콧수염' 하면 상하이에서는 모르는 사람이 없다. 중국 사람 중에도 나를 아는 사람이 많다. 둘째 딸 소라도 상하이에서 중·고등학교를 나와 '미스코리아 진'이 되었다고 중국 신문에 보도하면서 상하이 한국상회 회장의 둘째 딸로 소개되기도 했다.

나는 전에도 가끔 콧수염을 기르다가 잘랐다가를 반복했었는데, 내게 콧수염을 길러보라고 말해 준 것은 나의 사랑하는 세 딸이었다. 약간 마른 체형이라 그런지 콧수염을 기르면 달라 보일 것이라고 했다. 딸들의 말대로 콧수염을 길렀고, 그 효과는 대단했다. 나를 처음 보는 사람들은 콧수염에 먼저 시선이 간다고 말한다. 한번 보면 잊히지 않고 개성 있어 보여서 좋다는 말도 한다. 거기에 한마디 덧붙여 '콧수염 보안관'이라는 별명도 붙여주었다. 상하이 한국상회 회장을 맡으면서 중국 내 한국기업과 교민사회의 크고 작은 고충들을 들어주며 자문을 해주다 보니 그렇게 불린듯하다. 실제로 여러 가지 일들을 원만하게 해결하면서 붙여진 별명이니 나로서는 기분 좋은 별명이다.

나는 2009년부터 한국상회 회장(한인회 회장 겸임) 외에도 상해 한국학교재단 이사장 직무를 맡고 있었다. 1천 1백 명이 넘는 한국 학생들과 교사 120명이 이 학교에 다니고 있고, 상해 한인사회에서 중요한 역할을 하는 학교이기에 책임이 막중했다. 2008년의 '서브프라임 모기지' 사태의 위기는 한인사회에도 직격탄의 고통을 주었다. 2009년에 이르자 이 학교 10%의 학생들이 학비마저 내기 힘들게 된 것이다. 당시 한인 사업가 30%가 부도를 맞은 상황이었다. 나의 회사조차도 중국 진출 후 처음으로 일감이 없어져버린 상황이기도 했다. 한두 명도 아니고 백 명이 넘는 학생들이 학비를 내지 못하게 되자 학교 운영에도 직접적인 타격을 줬다.

상해 한국학교는 중국은 물론 세계에 분포한 한국학교 가운데 최고로 손꼽힌다. 그 자리에 오르기까지 우여곡절을 겪어 왔기에 안타까움은 더욱 컸다. 학교는 1916년 상해에서 활동하던 독립운동가 여운형 등에 의해 그 역사가 쓰이기 시작했다. 그는 한국인의 정체성과 국가관 확립을 위한 인성교육에 힘써 왔다. 우리 조상의 고통과 희생이 서려 있는 100년 세월을 거쳤기에 넋 놓고 바라볼 수만은 없었다.

새로 부임한 김헌수 교장으로부터 등록금 납부가 힘든 학생들이 많다는 말을 들은 뒤부터 장학기금을 만들어야겠다는 결론은 내렸지만, 어려운 시절에 돈을 걷는다는 것은 결코 쉬운 일은 아니었다. 어떻게 하면 기부하는 사람들도 의미가 있고, 기분 좋은 상황을 연출할지 연구했다. 연구의 결과는 언제나 해답으로 이어진다. 그래서 얻어낸 답이 '2009 주상해 총영사 배 청소년 장학기금 모금 골프대회'를 여는 것이었다. 학교

실정도 알리면서 후원금도 모으는 공개 행사가 필요하다고 판단한 것이다. 힘들다고 해도 모두가 힘든 것은 아니고, 기업인들은 골프를 즐긴다는 점에서 분명히 적지 않은 후원금이 모일 것이라는 예측까지 한 것이다.

청소년 장학기금 모금 골프대회 행사 때
(왼쪽이 김정기 총영사, 가운데가 김헌수 교장, 오른쪽이 저자)

상하이 한국 기업인과 교민 144명이 참가한 가운데, 총 36개 조로 편성된 골프대회가 열렸다. 18개 홀에서 동시 티오프를 시작으로 하는 신페리오 방식으로 진행되었다. 나는 경기 참가자 대부분이 사업가들인 점을 고려해서 홀마다 참가 업체들을 홍보할 수 있는 현수막을 내걸면 좋겠다는 아이디어를 냈다. 현수막 1개의 가격은 1,500위안(25만 원 정도)으로 책정했고, 한 홀당 3개의 현수막을 걸게 했다. 이날 현장에 있는 모든 참가자의 기부와 현수막 구입으로 총 14만 위안(2,500여만 원)을 모을 수 있었다.

특히 교민 자녀들을 위한 장학기금 모금 골프대회였기에 당시 상하이 총영사였던 김정기의 전폭적인 지지와 협조가 큰 힘이 되었다. 그 행사에 참석한 영사들도 이구동성으로 자기들이 공식적으로 평일 날 골프를 친 것은 평생 처음이라면서 나에게 고맙다고 인사를 할 정도였다. 보통 영사들이 해외에 오면 교민을 위해 할 수 있는 일이 무엇이 있는지 잘 모를 수 있는데, 이 행사를 통해 교민과 그 자녀들에게 도움을 주고 보람을 느끼게 된 것이다.

나 역시 이러한 자리를 통해 영사관과 교민이 힘을 합치게 되는 일에 감사하며, 그것이 내가 할 수 있는 최선의 일이라 생각했다. 교민과 영사관의 협조로 본래 기대한 모금 액수보다 많이 모으게 되었고, 한국학교에 기쁘게 전달할 수 있었다. 그날따라 '콧수염 보안관'이라는 별명을 가진 내가 더 자랑스럽게 느껴졌다. 뜻이 있으면 길이 보이는 법이다.

04

중국도 좁다,
이제는
세계다

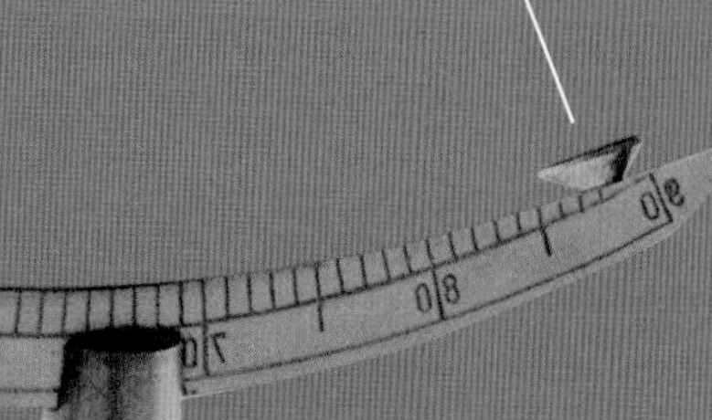

지구 **백**바퀴를 돌고 또 돌고

2015년 5월, 나는 신문을 보다가 한 기사를 보았다. 존 케리 미 국무장관에 대한 기사였는데, 그가 비행기로 날아다닌 거리가 82만 마일이라는 내용이었다. 그 거리는 지구를 32바퀴 돈 거리라고 한다. 이 기사를 읽은 후에 나도 내가 지구를 몇 바퀴나 돌았는지 생각해보게 되었다. 항공사 이용 실적을 확인하고 여권을 꺼내보며 계산해보았다. 아시아나 항공이 140여만 마일, 대한항공은 60만 마일, 그 외 중국과 베트남, 말레이시아, 미국 등으로 비행기를 탄 것을 합해보니 60만 마일이 나왔다.

전부 합치면 260만 마일이다. 킬로미터로 환산하면 420만 킬로미터다. 지구 한 바퀴가 4만 5백 킬로이니 나는 지구를 백 바퀴 이상 돈 것이다. 요즘은 특히 출장이 많으니 이 책이 나올 때쯤이면 더 거리가 더 늘어날 것이다. 그리고 계산을 마치고서 나는 절로 무릎을 치게 되었다. 이건 내가 '사주팔자'를 봤을 때 들었던 이야기가 아니던다. 신기한 팔자였다.

대학교 1학년 때인 1973년에 있던 일이다. 어느 날 친한 친구가 나를 데리고 어디를 가자고 하면서 데려간 곳은 사람이 많이 모여 있는 청계천 길가였다. 주변을 둘러보니 '사주팔자', '운명', '철학'이 쓰여 있었다. 여러 사람이 주욱 둘러서서 길흉화복과 운명을 점치는 곳이 있다니 신기하고 궁금해서 친구 먼저 보고 나도 보게 되었다. 사주쟁이인지 점쟁이인지 도사인지 하는 사람이 대뜸 "당신은 학과를 잘못 선택했다"라고 했다. 그 말을 듣자 평소에 친구가 했던 말이 생각났다. 자신은 원래 대학이 아니라 공군사관학교를 갔어야 한다며 늘 투덜거렸다. 점쟁이 말을 듣자마자 허당은 아니라고 생각했다. 도사라는 생각이 들었고 내 사주가 더 궁금해졌다. 생년월일을 불러주었더니 손마디를 짚어가며 무엇인가 분주하게 계산하던 도사 왈 "자네는 앞으로 외국을 자기 집처럼 드나들 것일세"라고 말하는 것이 아닌가.

그 말을 듣고 내 사주는 엉터리라고 생각했다. 왜냐하면, 나는 외국은커녕 기차를 타고 고등학교 수학여행 한 번 갔던 것이 고작이었으니 말이다. 그런 나에게 외국을 내 집처럼 드나들게 될 거라고? 순 엉터리 점을 본 것 같아 적은 돈이지만 아깝다는 생각을 했다. (당시 일반은 150원, 학생은 100원)

그런데 점을 본 후 5년여의 세월이 지나고 난 뒤 꿈에도 생각하지 못했던 미국행 비행기에 오르게 된 것이다. 그 뒤로도 40대가 되면서부터는 그 도사의 예언대로 외국을 안방에 드나들 듯하며 지냈다. 미국, 일본, 영국, 프랑스, 이탈리아, 인도, 파키스탄, 필리핀, 인도네시아, 호주, 키르기스탄을 거쳐 2001년 중국에 정착했다. 이후 외국 방문은 가속도가 붙었다. 베트남과 말레이시아, 캄보디아에 법인을 만들어 현지를 수 없이 다녔다. 몽골에도 법인을 세워 한두 달에 한 번씩은 드넓은 초원에도 가게 되었으니 그야말로 국제화를 이룬 셈이다. 2016년부터는 헝가리까지 진출하게 되었다. 상하이 본사와 집에는 한 달에 일주일 정도만 머물게 되었다. 나머지 3주간은 중국 내륙의 시공현장과 해외현장을 돌고 있으니 "나는 언제나 비행 중"이라는 말이 틀린 말도 아닌 셈이다.

사업이 지금처럼만 유지된다면 내 나이 70살쯤에도 비행기를 타는 일이 많을 것이다. 하지만 세상의 변화속도로 보아 십 년 정도가 지나면 보통 화상회의를 통해 업무가 활발하게 진행되고, 이동은 줄어들 것이다. 그래도 사람과 사람이 직접 만나

악수를 하고 눈빛을 마주치며 진심으로 공감하는 일은 변하지 않을 것이라는 예측을 해본다. 결국, 세상은 편해져도 내 몸은 움직여야 할 것이다.

아시아나 항공 이용 실적

나는 한 마디의 유머와 조크가 상대방의 얼굴을 활짝 펴지게 했던 걸 자주 목격했다. 좋은 분위기가 형성되면 이 또한 신뢰로 이어질 수 있다. 나는 시간이 지나도 긍정적으로 사람들을 대하고, 신뢰하는 관계를 만들어가는 즐거움을 양보하고 싶지 않다.

미국과 중국을 경험해본 것은 참으로 큰 행운이라 생각한다. 세계가 크고 작은 나라를 가리지 않고 호혜와 평등으로 나가는 것이 바른 흐름이겠지만, 이 두 나라의 영향력과 주도력은 오랫동안 유지될 것으로 예상하기 때문이다. 우리 민족의 대부분이 거주하고 있는 한반도에서는 앞으로 10~20년간 이 힘과 어떻게 충돌할지, 또는 협력하는지에 따라 동아시아의 역사는 크게 요동치리라 생각된다.

앞으로 젊은이들이 '세계가 하나'라는 인식을 가지고 더 많이 세계에 진출하길 바란다. 내가 지구 백 바퀴를 돌았다는 사실에 대해 놀라기보다 대수롭지 않게 여겼으면 좋겠다. 환갑이 넘은 나도 또다시 지구를 백 바퀴 돌겠다는 생각을 할 정도인데, 젊은이들은 더 크고 많은 일들을 할 수 있을 거라 본다. 갈 곳은 많고 할 일은 그보다 더 많다. 정말이지 지구 백 바퀴를 더 돌아도 모자랄 판이 된 세상이 온 것이다.

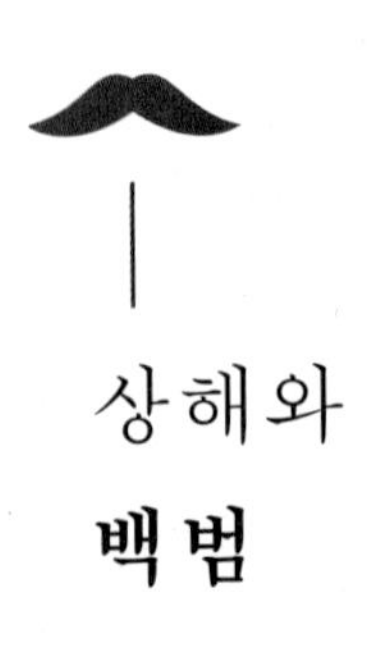

상해와
백범

'향수'란 말이 가장 잘 어울리는 도시는 중국의 상하이가 아닐까 싶다. 황푸 강변에 늘어선 서양 건축물이 인상적인 와이탄, 그와 대비되는 강 건너 푸동의 초고층 빌딩들은 상하이의 어제와 오늘을 한눈에 보여주는 상징적 이미지다. 백 년의 시간이 붙들린 느낌이라고 할까. 어떤 원초적 기억을 아련하게 불러일으키는 느낌 때문에 아시아의 여느 대도시와 달리 우리 마음 깊숙한 곳을 건드린다.

예로부터 '동양의 파리'라는 별칭이 붙은 것도 단지 서양식 건축물과 플라타너스가 늘어선 조계지역이 주는 인상 때문만은 아니다. 상하이만이 던져주는 독특한 아우라가 있다. 다름 아닌 역사의 숨결이다.

상하이는 근대 중국의 성장통을 날 것으로 보여주며 동시에 중국의 현재와 미래가 보이는 곳이기도 하다. 상하이 시내 한 복판에는 우리가 잘 아는 상해 임시정부청사가 있다. 상하이 홍커우 공원(지금의 루쉰공위엔)에서 일본군 고위 장성들을 폭사시킨 윤봉길 의사와 수많은 독립투사가 떠오른다. 백범 김구 선생은 그 중심의 인물이었다.

임시정부 유적지를 돌아보는데, 내가 미국에서 살다가 갑작스럽게 중국, 그것도 상해에 오게 된 건 운명이 아닐까 하는 생각이 들었다. 거창한 이야기는 아니지만, 나 역시 나라를 잃었던 시기에 살았더라면 조국의 독립을 위하여 하찮은 심부름꾼 역할이라도 하기 위해 이곳 상해임시정부에 오지 않았을까 생각해본 적이 있었기 때문이다. 상해에 와서 몇 년간은 쉴 틈도 없이 사업에만 신경을 쓰다가 어느 정도 자리가 잡힐 무렵, 상해 한국상회에서 요청이 와서 같이 일을 하게 되었다. 미국에 있을 때는 실리콘 밸리 한인회, 한미 상공회의소 등에서 일을 했었다. 그러다가 상해 한국상회에서 일하며 다시 교민회 일을 맡게 된 것이다. 상해 한국상회 부회장직을 성심껏 수행하다가 2년 후에는 회장이라는 중책을 맡게 되었다. 제17대 회장 취임식 날 바로 회장단, 국장단과 함께 임시정부를 찾아 선열들께

인사를 올렸다.

회장직을 맡게 된 지 얼마 안 되어 서울에 있는 백범 김구 기념관에 들를 일이 있었다. 백범 서거 60주년 행사에 초대를 받은 것이다. 그 자리에서 손자인 김양 보훈처장(전 상해 총영사)과 백범 선생님의 아들이며 기념 사업회 회장인 김신 장군(전 공군참모총장)을 뵙게 되었다. 헌화도 했는데 식이 끝난 후에 김처장이 나에게 이런 질문을 했다.

"백범 선생께서 임시정부 시절 상하이 초대 한인회장을 지냈던 것을 아시나요?"

나는 바로 대답을 하지 못했다. 그때는 임시정부 주석을 한 것만 알았지, 한인회장을 한 사실은 부끄럽게도 알지 못했었다. 상해 집에 와서 <백범일지>를 다시 읽어보니 1929년 백범 선생님께서 임시정부에서 일할 때 경무국장을 하면서 거류민단장을 겸임하였다는 대목이 나와 '아, 이것이구나!' 하고 놀랐다. 그 당시 중국에서 사는 외국 국적인 사람들을 거류민이라 하였고, 일본에 있는 한국인들도 재일거류민이라 표현했으니 거류민단장은 한인회장임이 분명했다. 상하이 한인회의 원조가

조선 거류민들일 것이니 백범 선생님을 한인회의 기둥이 되는 분으로 모시는 게 마땅한 도리이겠다 싶었다. 그렇게 현임 한인 회장인 내가 적극적으로 발의하여 백범기념회에서 보내준 백범 선생님의 대형사진을 상해 한인회 사무실에 걸어놓게 되었다. 우리는 백범 선생님의 초상화를 자주 보면서 그 당시 임시정부를 잊지 않고, 교민을 위해 일하는 초심도 잃지 않아야겠다는 사명감을 가지고 일했다.

초대 상해 한인회 회장인 백범 선생님의 초상은, 오늘도 한인 회관 대회의실에서 상하이에 있는 우리들을 내려다보고 계신다.

상하이 한인회 초대 회장 백범 김구 초상화(가운데가 저자)

임시정부요원이 **된** 심정으로

'내가 만약 80년 전이나 90년 전에 상하이에서 태어났다면 어땠을까?'

아마도 상하이에 사는 많은 교민은 이런 생각을 한 두 번씩은 했을 것이다. 물론 대한민국 국민 누구라도 상하이에서 살게 된다면 모두가 생각해 볼 문제라고 생각한다. 특히 상하이는 역사적으로 의미가 큰 도시이질 않은가. 외국에 나가 있으면 누구나 애국자가 된다고 하는데, 상하이에서 한인회장을 맡았던 시기에는 특히 그런 생각을 많이 하게 되었다. 어쩌다 마이크를 잡고 발표를 해야 할 때도 우리나라에 대해 한마디씩 하기도 했다.

"제가 일제 강점기에 상하이에 있었더라면 제 우비 속 주머니에는 권총이 있었을 겁니다. 안창호, 김구, 윤봉길 의사처럼 독립을 위해 싸웠을 겁니다. 상하이에 첫발을 내딛는 순간부터 저는 선열들의 영혼을 느꼈으니까요."

윤봉길의사 77주년 기념식에서(사진 왼쪽에서 두 번째가 저자)

2009년은 상하이에 임시정부가 수립된 지 90주년이 되는 뜻 깊은 해였다. 1919년 일제의 압박에 대항해서 3.1 운동이 대규모로 일어났고 민족운동의 결과로 상하이에서 임시정부가 탄생한 것이다. 임시정부수립 90주년이 되는 날, 상하이 교민들은 침통한 시간을 보내야 했다. 세계 경제불황의 영향으로 30%가 고국으로 돌아갔고 30%는 사업이 부도나기에 이르렀다. 나머지 40%의 교민들도 마찬가지로 힘들게 지내야 했던 시간이었다. 상하이 한인회장을 맡고 있던 나는 그렇게 힘들게 지내는 교민들의 애환을 누구보다 잘 알고 있었다.

한국인이 야반도주했다는 이야기로 시작해서 여러 가지 교민들의 사건 · 사고 소식 등 좋지 않은 기사가 중국 매스컴에 나오고, 중국본토뿐 아니라 미국과 다른 나라들까지 퍼져있었다. 그 여파로 우리나라 사람들 전체가 매도당하고 좋지 않은 시선을 받게 만들었다. 심지어는 고국인 우리나라에까지 중국에서 사업하는 사람들을 조심해야 한다는 소문까지 나돌았을 때다. 시대가 일제 강점기는 아니었지만, 상하이에 있는 교민들의 어려움 앞에 임시정부 때의 요원이 된 심정으로 지혜롭게 헤쳐나갈 방법을 연구했다.

나는 교민 매체 기자들과의 인터뷰에서 한인사회 내부의 '자조'와 '협동'을 강조했다. 어려울수록 뭉쳐야 하고, 서로 도우면서 위기를 돌파해야 한다고 주장했다. 그것은 일제 국난 시기에 먼 타국인 상하이까지 날아와 독립운동을 했던 선열들의 정신이기도 했다.

"어려운 시기입니다만, 저 자신부터 봉사하는 자세와 애정을 가지고 최선을 다하겠습니다. 모두가 힘들 때일수록 기본에 충실하고 긍정적인 자세로 대처해야 합니다. 10만의 교민이 거주하고 있는 상하이에서 한국인들이 운영하는 사업에 우리가 관심을 더 가지면 경기가 좋아지지 않을까 싶습니다. 될 수 있으면 한국 제품을 구매해주시고 교민이 운영하는 식당을 이용해 주시면 감사하겠습니다. 소모적인 경쟁보다 상부상조할 수 있는 분위기를 우리가 만들어 나가는 것입니다."

나는 당시 한인회장을 맡고부터 임원진들과의 식사를 도시락으로 대체했다. 식사하기 위한 이동시간도 줄이면서 경비도 아낄 수 있었고, 무엇보다 회의에만 집중할 수 있어서였다. 또 한인회 임원진들이라도 교민들을 위해 행동해야 한다는 생각에 점심을 먹지 않고 한인 식당을 돌았다. 어려운 시절이 되기 직전에 매우 크게 오픈하여 파리만 날리던 식당이 있었다. 15명에서 20명으로 구성된 우리 한인회 임원진들이 그 식당을 비롯해 힘든 시기를 보내고 있는 한인 식당에 가서 조금만 참고 힘내보자며 위로와 격려를 보내기도 했다. 그때 자주 다녔던 한인 식당들 중에는 공황 시기를 잘 넘기고 소위 대박을 터트리며 승승장구하는 식당들까지 나타나게 됐다. 지금도 한 번씩 식당에 가면 그곳 사장이 깍듯하게 예우하며 정성을 다해 음식을 준비해준다. 어려웠던 시절에 도와준 한인회를 잊지 않는다며 고마워하기도 했다. 몇 끼 먹지도 못하고 비싼 음식을 시키지도 못했는데, 우리 민족은 이렇게 서로에게 고마워할 줄 안다. 감사한 나라의 행복한 국민이 바로 대한민국의 국민이다.

한인회장으로 있을 때 교민 모두가 아니 세계 경제가 어려웠던 시기였지만, 우리는 독립투사들의 후손답게 잘 이겨냈다. 한인 학교 학생들이 수업료가 없어 힘들어할 때도 기업체와 교민들이 십시일반 도움으로 학생들이 학업을 포기하지 않게 해주었다. 어쩌면 가장 힘든 시기에 한인회장을 맡았지만, 보람도 가장 컸다고 생각한다. 교민들을 위한 여러 가지 분야에 관심을 가져서인지 2010년에는 큰 상도 받았다. 바로 '대한민국 고객 감동기업 자랑스러운 한국인상(민간외교부문)'이다. 이 상은 한국일보에서 주관하여 대한민국 경제 산업의 바탕을 이루는 우수기업, 기관, 단체, 기업인에게 수여한다. 매년 하반기에 각 해당부문별 대상을 선정해 발표하는데 감사하게도 내가 받게 된 것이다.

'정한영 회장은 풍부한 경험과 영향력, 글로벌 마인드를 바탕으로 상해지역의 기업, 교민들의 지위 향상과 함께 교민사회의 크고 작은 각종 어려움에 대한 자문과 함께 많은 도움을 주고 있는 점을 높이 평가해 이 부문에 선정되었다.'

윤봉길의사 77주년 기념식에서(사진 왼쪽에서 두 번째가 저자)

위와 같은 선정사유를 듣고 나서 지난 시절을 되돌아볼 수 있었다. 더 많이 봉사하지 못한 것에 미안함이 있었는데도 나를 선정해 준 것에 대해 감사함과 겸손해지는 마음을 느꼈다. 만약 지금 이 시기가 일제 강점기였더라면 나는 분명히 독립투사였을 것이고, 사랑하는 대한민국의 애국자였을 거라는 생각이 든다. 물론 이 글을 읽는 모든 분도 외국에서 살게 되면 나보다 더 훌륭한 독립투사가 돼 있을 것이다.

호치민을 만나다

2015년은 베트남에 진출한 지 칠팔 년째 되는 해였다. 말레이시아는 5년 전에 나갔다. 또한, 중국을 기반으로 해외현장(2014년 몽고, 2015년 필리핀, 2016년 헝가리까지)에 동종업종 최초로 현지법인을 만들었다. 이후 하이테크산업의 최고수준인 클린룸과 내장공사, 커튼월, 수장 공사에서 선도 기업으로 자리 잡게 되었다. 공사 진척상황에 따라 차이가 있지만, 내가 다른 곳을 순회 방문하는 것처럼 대체로 한 달에 한 번 정도 베트남의 호치민과 하노이를 들르곤 했다.

베트남과는 한때 적대국이었기에 서로 상종할 일이 더 이상 없을 줄 알았다. 한국은 60년대 후반과 70년대 초에 미국의 강한 후견을 받던 월남 사이공 정권을 지지하는 입장에서 군

병력을 월남에 파견했다. 셋째 형이 당시 급격히 힘들어진 집안 사정에 도움이 되기 위해 위험수당과 사망보상을 후하게 쳐주는 월남파병부대에 자원입대했었기 때문에, 그 시절 분위기는 누구보다 잘 알고 있다.

한국군은 베트남 현지에 있는 어떤 부대보다 용맹했던 것으로 알려져 왔다. '따이한' 부대가 왔다는 말에 우는 아이도 울음을 그쳤다는 말이 회자될 정도로. 그 이면에는 베트남의 아픈 역사가 있다. 채명신 주월사령관은 "백 명의 베트콩을 죽이는 것보다 한 명의 양민을 살리는 것이 중요하다"고 말했지만 다 지켜내지는 못했다.

베트남 주민의 입장에서는 한국군이 가해자의 모습이기 때문에 우리에 대한 감정이 그리 좋지 않을 거라 예상했다. 그런데 베트남에서 사업을 하고, 오랫동안 현지에 살면서 활발하게 사업을 벌이고 있는 선배들의 얘기를 들어보니 베트남 사람들은 지난 원한에 사로잡혀 있는 사람들이 아니었다. 평생 원수로 척을 지고 살 수도 있었을 미국과도 적극적인 관계 개선과 교류에 나서, 적극적인 개혁개방 정책을 취하는 것만 봐도 베트남의 그릇을 알 수가 있었다. 한국과도 교역은 물론, 한류를 적극적으로 수용하면서 자신들이 어떻게 하면 효과적으로 장점들을 배울 수 있을까 생각하고 있다. 게다가 현재 한국과 베트남은 사돈 관계라고 하면서 한국인을 사랑하고 좋아한다.

처음에는 그저 우리나라보다 한 이십 년 쯤 낙후된 나라로만 알았는데, 여러 번 방문할수록 그들의 깊이를 알게 되었다. 특히 인구의 70% 이상이 30대 이하의 젊은 세대인 베트남의 역동성을 목격한 뒤로는 앞으로 세계를 주도할 새로운 힘에 대해 다시 생각하게 되었다.

북베트남의 수도였던 하노이는 이제 통일베트남의 명실상부한 수도이지만 경제적 활력이나 적극적 변화는 오히려 남부의 호치민(옛 사이공)에서 이루어지고 있었다. 그 당시 동양의 진주라고 불렸던 사이공이 월맹의 손에 떨어진 후 베트남은 우리나라와 단절이 되었다. 92년 당시 노태우정부의 적극적인 북방외교의 결과 한국과 수교를 했고 우리나라와 활발한 교류를 하고 있으며 모든 면에서 다시 활기를 찾고 있다.

베트남의 전설적인 독립영웅이며 통일베트남을 가능케 한 정신적인 지도자인 호치민의 이름이 도시에 붙여져 있어, 그곳에 갈 때마다 아픈 현대사를 떠올리게 한다. 겸손하고 가난한 삶을 끝까지 지켰으며 최고 권력의 자리에 올랐음에도 늘 머리를 숙일 줄 알았던 지도자를 만나게 되는 것이다. 남북전쟁 중에도 월남정부의 존경을 받고, 어떤 직함이 아닌 '호 아저씨'로 불리며 평생을 살았던 호치민. 그 덕분에 지도자 한 사람의 역할이 얼마나 큰 것인가를 알게 되었다.

하루는 호텔에서 나와 산보를 하며 주변을 둘러보는데, 근처에 시장(우리나라 재래시장)이 있어 구경을 하게 됐다. 우리와 비슷하게 수산물, 육류, 채소, 과일과 먹을거리 등 없는 것이 없었고, 엄청난 사람들이 오고 갔다. 장사꾼의 호객 소리와 사고자 하는 사람들의 목소리가 한데 엉켜 시끄러웠지만 활기 또한 넘쳤다. 사람 사는 광경은 나라마다 조금씩 다른 모습이지만, 시장통이야말로 그 나라의 문화를 깊이 이해하는 지름길이다. 특별히 살 것이 없어도 나는 종종 그 좁은 골목길을 걸어다녔다.

참혹한 전쟁을 여러 차례 치르고 수십 년 간 전쟁의 후유증을 겪었음에도 불구하고 베트남 사람들은 삶을 긍정하며 열심히 산다. 내가 20여년 살았던 미국 이주민사회에서도 유대인을 따라잡은 한국인에 이어 이번에는 베트남사람들이 특유의 성실함과 끈기로 상권을 잡아간다는 말이 결코 빈말이 아닌 것을 나는 보았다. 우리 한영E&C(베트남 현지법인)에서 함께 일하는 베트남 직원들도 다 쾌활하고 적극적인 성격이다.

베트남 하노이와 호치민의 도심에 가면 사거리에서 밀려오는 스쿠터 족들, 걸어 다니는 많은 사람이 얼굴 가득 웃음을 담고 있다. 대다수가 젊은 그들에게서 베트남의 밝은 미래를 보았다. 이들이 청년 호치민들인 것이다. 한국 청년들도 이제 기회를 잡으려면 서구나 북미보다는 동남아, 베트남 같은 활력의 땅에 도전해보는 것도 좋을 것이라 본다.

그래서 나는 이런 생각을 해보았다.

공부를 하려면 미국으로 가고
역사와 전통을 알려면 중국으로 가고
돈을 벌려면 동남아로 가라

현대판
신데렐라

글로벌이란 단어마저 식상해지고 있는 시대가 왔다. 해외여행과 교환학생, 워킹홀리데이는 물론, TV 프로그램만 봐도 〈비정상회담〉, 〈해외판: 우리 결혼했어요〉, 〈이웃집 찰스〉 등 외국인과의 경계를 허무는 프로그램들이 인기다. 국적은 달라도 그들과 소통하고 부대끼며 국내 인연보다 진한 우정을 뽐내기도 한다. 이제 혈연, 지연 등에 얽매여 국내에서만 인연을 찾기보다 국외에서의 인연도 자연스럽게 생각할 수 있는 것이다. 지하철로 같은 수도권도 1시간이 걸리는데, 비행기로 1시간이면 중국, 일본은 거뜬히 갈 수 있는 시대다. 난 실제로 국내에 인연이 없다고, 해외에도 인연이 없으란 법은 없다는 말을 실감하는 경험을 했다.

내게는 형이 넷, 누나 둘, 여동생 한 명이 있다. 8남매 5남 3녀 중 누구 하나 소중한 사람이 아닌 사람이 없지만 조금 더 각별한 둘째 누나에 대한 이야기를 해보고자 한다.

둘째 누나가 결혼하여 미국으로 간지 40여 년이 넘었다. 누나의 딸, 그러니까 내게는 조카가 두 명 있는데 큰딸은 Tina(가명), 작은딸은 Sarah(가명)라고 한다.

사라는 초등학교 중간 무렵에 산호세에서 우리 가족과 함께 살다가 중학교 때 오리건 주로 이사를 해서 지금까지 그곳에서 살고 있다. 조카 애들이 오리건에서 중 · 고등학교와 대학까지 다녔다. 큰애는 치과대학을 둘째는 일반대학을 나왔다.

어느 날 누나가 내게 전화를 걸어 "한영아. 둘째 사라가 결혼을 해. 하와이에서 식을 올리는데…"하면서 말을 이어갔다. 딸의 남편 될 사람의 아버지가 사장이란다. 그래서 속으로 '아, 도심에서 흔히 볼 수 있는 프랜차이즈 점주의 아들과 결혼을 하나보다' 그런 정도로 생각했었다. 그런데 계속되는 말을 들어보니 그 이상의 이야기가 더 있다는 생각이 들었다. 하와이로 가는데 비행기 두 대가 뜬다는 것이 아닌가. 한 대는 누나 가족이 타고, 다른 한 대는 그쪽 가족이 타고 간다고 한다. 아니, 무슨 결혼식에 비행기를 두 대씩이나 나눠 타고 가나 좀 의아스러웠다. "여객기 한 대에 한꺼번에 타면 번거롭지 않고 좋을 텐데"하고 말했더니, 사실 전용기 두 대가 뜨는 것이란다.

누나가 길게 들려준 얘기를 요약해보면 이렇다. 내 조카 사라가 오리건 포틀랜드에서 고등학교에 다니고 있을 때, 같은 학교에 다니는 남자아이가 졸졸 따라다녔다. 부잣집 아들로 알려진 친구라 장난으로 그러는 듯하여 관심을 두지 않았었다고 한다. 연애의 법칙이 그렇듯 무관심하게 구는 상대 앞에서는 더 마음이 끌리는 법이다. 세속의 눈으로 보면 부러울 것 하나 없는 이 남자아이로서는 엄청 자존심이 상할 일이었으나 지치지 않고 관심을 표현했던 모양이다. 조카 사라는 그럴수록 대학에 가려고 공부에만 집중했다. 그러던 중에 우연히 같은 대학을 입학하게 되었고, 대학 생활하면서 사라는 이 남자의 성실함을 발견하게 되어 결국 마음을 열게 되었다고 한다.

그 아이의 아버지는 세계적인 신발제조회사(N사) 회장으로 미국과 한국은 물론 세계적으로 잘 알려진 분이다. 미국 오리건 주 포틀랜드에 본사가 있다. 마침 조카네 식구가 그곳으로 이사를 했고, 회장의 아들이 다른 여자들은 다 제쳐놓고 사라에게 마음이 끌린 것이니 사람의 인연이란 참으로 모를 일이다.

둘은 대학 시절에는 친구로 사귀다가 대학을 졸업하고 곧바로 결혼했다. 그래서 하나밖에 없는 회장의 며느리가 되었고, 지금은 세 아이의 엄마가 되어 회장 부부의 사랑을 한 몸에 받고 있다. 재산이 244억 불에 달하며 세계 17대 부호의 가족이 되었으니, 말하자면 신데렐라가 된 것인데 나의 둘째 누나도 먼 미국으로 건너가서 신데렐라의 친엄마가 된 셈이다. 나는 신발 회사의 회장 집이니 정말 '신'데렐라가 맞다고 농담을 던지기도 한다.

인연은 그렇게 전혀 낯선 곳에서 기다리고 있는지도 모른다. 인연의 신비함을 말할 때 나는 조카를 가장 먼저 떠올린다.

미국 교육에서 **배운** 칭찬의 **힘**

교육이란 인간이 삶을 영위하는 데 필요한 모든 행위를 가르치고 배우는 과정이며 수단이다. 어릴 때 젓가락질하는 법부터, 언어, 원만한 대인관계를 유지하는 법까지 우리가 인생을 살면서 저절로 배우게 되는 것들도 있고, 누군가로부터 가르침을 받는 것도 있다. 우리나라의 교육은 수동적이고 암기식인 경우가 많다. 적극적으로 수업에 참여하고 의견을 발표하기보다 그냥 가르쳐주는 대로 적고, 외우기 바쁘다. 그러다 보니 선생님들도 자신의 수업을 듣는 학생들 개개인의 성향이나 적성에 대해 잘 모르는 경우가 많다. 또한, 지식만 강조하고 인성은 괄시하는 것도 참된 교육이라고 할 수 없다. 교육에서도 균형을 이루는 것은 중요하다.

내 경험상으로는 학생의 소질과 능력을 최대한 발휘시키며 각 개인의 요구, 흥미, 능력에 부합되는 교육을 시행하고 학년제가 없는 미국의 교육이 제일 우수하다고 생각한다. 이런 교육시스템이 아마도 미국을 최강국으로 만든 밑거름이 아닌가 싶다. 그런 교육 시스템을 본받아 내 아이들도 본인이 원하는 대로 하게 놔두면서 크게 비뚤어지지 않도록 울타리 역할만 했다.

나 같은 경우, 미국에서 대학교에 다닐 때 학기 학비와 책값은 냈지만 일하면서 돈을 벌어야 생활과 공부를 병행할 수 있었다. 과목별 학점을 누적하여 졸업학점을 채우면 되었기에 내가 좋아하는 과목들을 마음대로 선택했고, 각 과목의 수강시간도 오전, 오후, 주중, 주말 가운데서 마음대로 선택할 수 있어서 일하는 시간에 맞춰 선택했다. 그리고 공부를 마쳐야 하는 기한이 따로 없어서 다른 사람들의 시선을 의식할 필요도 전혀 없었다. 그렇게 일하면서 공부하다 보니 졸업까지 나는 총 7년이라는 시간이 걸렸다. 길다면 긴 시간동안 나는 아무런 스트레스도 받지 않을 수 있었고, 한인 학생회장까지 맡았다. 가까운 대학에서 '한인 유학생의 밤' 등 행사가 열리면 무대에 올라가 멋지게 태권도 시범까지 보여서 현지 신문에 사진이 큼

지막하게 실리기도 했다. 힘들게 돈을 벌었으나, 인생도 즐기면서 대학공부를 마칠 수 있었던 것 같다.

그 무렵 내가 아는 분의 자제가 한국에서 공부를 안 하는 문제아여서 도피형 유학을 왔다. 그런데 아이가 학교를 제대로 다니지 않은 탓인지 아니면 학과 성적표 등 한국에서 학교에 다니던 모든 증명서류를 일부러 없애버렸는지 아이는 아무런 서류도 제출하지 못했다. 난감한 상황이었다. 그러나 그분의 청을 거절할 수가 없었고, 당시 미국에서는 불법체류자라 해도 만 18세 미만은 무조건 학교에 다녀야 한다는 것을 알고 있는 터에 한 번 시도해보기로 했다.

며칠 뒤, 나는 그 아이의 보호자가 되어 아이를 데리고 산호세의 한 고등학교에 갔다. 사정을 이야기하니, 학교에서 먼저 아이의 수학지식을 테스트했다. 처음에 어려운 함수문제를 보고 아이가 고개를 저으며 난색을 보이자 차츰 문제 수준이 내려갔다. 결국, 초등학교 산수 정도에 이르러 간단한 덧셈 문제가 나와서야 아니는 답을 적었다. 나는 아이의 수준에 선생님이 실망할 줄 알았는데, 전혀 그렇지 않았다. 선생님은 손뼉을 치며 아이를 크게 칭찬했고, 이러한 태도는 정말 의외였다.

입학 후에는 그 아이에게 매일 단독으로 선생님을 배치하여

차근차근 수학을 가르쳐 주었다고 한다. 아이는 칭찬을 아끼지 않고 자신의 수준에 맞게 지도해주는 학교에서 강한 학구열을 보였고, 공부하는 습관을 잘 들이게 되었다.

이렇게 미국의 교육은 학과 성적 순위보다는 칭찬 위주로 하면서 모든 학생에게 자신감과 적극성을 심어주며 절대 포기하지 않도록 가르친다. 그리고 남을 배려하는 겸손한 미덕을 가리치는 것 또한 빠뜨리지 않는다. 미국 남편들이 부인에게 승용차 문을 열어주거나 외투를 받아주고, 식탁에 앉을 때는 의자를 빼주는 등의 행동을 보면 배려심이 자연스럽게 드러난 것으로 보인다.

미국 학교에서 공부에 맛을 들인 그 아이는 미국에서 6년 동안 공부해서 대학교까지 다니다가, 서울로 돌아가서도 대학교를 다니고 졸업했다. 현재는 결혼하여 자식 둘을 낳고 서울의 한 대기업에 몇 년간 근무하면서 경험을 바탕으로 개인 사업을 하고 있다.

미국 교육과 한국의 교육 시스템의 차이는 분명히 있지만, 앞서 나온 이야기는 하나의 사례일 뿐이고 누구에게나 들어맞지는 않을 수 있다. 미국 교육도 문제점이 있을 테고, 빈부 격

차나 다국적 문화 등 각기 다른 상황이나 환경들 때문에 어떤 일이 어떻게 될 지 확신할 수는 없다. 하지만 사소한 일상에서나 교육적인 면에서 학생을 최우선으로 생각해주는 것과 칭찬의 힘이 얼마나 중요한지 새삼 깨닫게 되었다.

05

오직 긍정으로 산다

1만 원 투자로 **5천만 원**도 번다

1만 원 투자로 5천만 원을 벌게 된 친구 이야기를 듣게 된 우리 부부는 그 생생한 이야기에 빨려들어갔었다.

기발한 발상으로 어려운 상황을 좋은 방향으로 바꾸는 능력이 있어, 소개하고픈 K라는 친구다. 부부동반으로 저녁 식사를 했을 때, 그 친구의 이야기가 시작됐었다.

"나이는 자꾸 먹어 가는데, 승진은 안 되고 후배들은 치고 올라오니 걱정이 이만저만이 아니야."

친구는 약간 한숨 섞인 말을 꺼냈다. 다니는 회사에 사표를 내고 다른 일을 알아봐야겠다는 생각이라는 것이었다. 당장 이직할 곳이나 마땅한 사업 거리가 없었지만, 진지하게 퇴직을 고민하고 있었다. 그리고 골똘하게 연구하다가 노후대비용으로 시골에 사둔 땅을 떠올렸다. 그리고 사표를 내기 전에 먼저 시골 땅에 나무를 심어놔야겠다는 생각까지 이르렀다. 나무를 심어서 돈을 벌기도 한다는 말을 들어본 적이 있어, 고로쇠나무를 심기로 결정하게 되었다. 그리고 주말을 이용해 시골에 가서 나무 판매업자를 만났다. 친구는 바로 고로쇠나무 1,500그루를 구입했고, 일주일 뒤에 심기로 계약까지 하며 일사천리로 진행해나갔다.

계약 후 친구가 사촌 동생과 동행하여 시골 마을의 식당에서 점심을 먹던 중이었다. 식사를 하는데 다섯 살 정도로 보이는 남자아이가 식당을 돌아다니며 마치 자기 집안에서 구는 것처럼 소리를 지르는 것이었다. 그렇지 않아도 직장을 그만두고 생소한 나무 사업을 시작하려니 심란한 마음이 들던 친구는 괜스레 꼬마의 행동이 거슬렸다. 얌전히 굴라고 혼을 내줘야겠다는 생각이 들어 말을 걸었다.

"야! 꼬마야 너 이리 와봐. 여기가 네 집이냐?"

그 꼬마의 대답이 걸작이었다.

"니 나 아노?"(너 나 아니? 라는 경상도 사투리)

아이의 사투리를 들은 친구는 말문이 막혔다고 한다. 제대로 혼을 내줘야겠다고 생각을 하는 순간, 이 맹랑한 꼬마가 똘똘하다는 생각이 들었다. 친구가 주머니에서 만 원짜리 한 장을 꺼내서 주려고 하던 참이었다.

"아니, 왜 그러시지요?"

아이 아빠인 듯한 사람이 다가오더니 경계의 눈빛으로 쳐다보는 것이었다. 세상이 험악해서 이리라 생각하며 자초지종을 설명했다. 처음에는 혼을 내주려고 불렀다가 아이가 똘똘해서 앞으로 장군이 될 것 같아 잘 보여 두려고 용돈을 주려고 했다고 답했다. 세상에 어느 부모가 자신의 자식을 칭찬하며 용돈까지 주려는 사람을 싫다고 하겠는가.

"아! 감사합니다."

아이와 아빠는 정중한 인사를 하고 돌아갔다. 이 부자와는 다시 볼 일이 없을 줄 알았다.

3일 후 친구와 사촌 동생은 나무를 심겠다는 등록을 하러 산림청에 찾아 갔다. 청사에 들어서서 어디로 가야 할지 몰라 두리번거리던 중에 누군가 둘에게 다가와 인사를 해왔다. 전혀 모르는 사람이 인사를 하길래 머뭇거리면서 있는데 사촌 동생이 아는 척을 한다.

"엊그제 그 아이 아빠시네요."

다시 얼굴을 보니 3일 전에 똘똘한 아이의 아빠였다. 서로 반갑게 이야기를 나누다가 산림청에 오게 된 이유를 설명했다. 아이 아빠는 본인이 이곳 산림청 계장으로 근무하고 있다고 말하면서 나무를 2주 후에 심으면 안 되겠냐고 물어왔다. 친구는 나무 판매업자와 일주일 후에 나무를 심기로 계약했다는 말을 전했다. 아이 아빠는 나무 판매업자가 누구냐고 물었고 자신과 전화를 연결해 달라기에 그렇게 해주었다. 통화를 하게 된 아이 아빠는 나무 판매업자에게 나무 판매를 취소하면 어떻겠냐 부탁했고, 한동안 말이 없다가 상대방이 동의를 했는지 고맙다고 하면서 전화를 끊었다.

아마 나무업자 입장에서는 기관의 인허가 문제들도 있지만 산림청 계장의 부탁을 모르는 척, 쉽사리 거절하기 어려웠을 거라는 유추를 해보았다. 친구는 영문도 모른 채로 그렇게 업자와 계장의 전화통화를 지켜보았고, 아이 아빠는 웃는 얼굴로 말했다.

"그렇지 않아도 마침 산림청 본청에서 고로쇠나무 3천 그루를 어딘가에 식재하라고 했는데 잘되었습니다. 선생님 땅에 심어드리면 안되겠습니까?"

그렇게 한 푼도 안들이고 3천 그루의 고로쇠나무를 자신의 땅에 심게 된 것이다. 그 일이 있고 한 달 후에 계장에게서 다시 전화가 왔다. 이번에는 다른 나무가 있어서 심어야 하는데 친구의 남는 땅에 심으면 안 되겠냐는 것이다. 친구는 너무 좋으면서도 "그거야 뭐……"하면서 말끝을 흐렸다. 그렇게 또 다른 나무까지 남는 땅에 심게 되었는데, 그 가치가 무려 5천만 원이나 된다고 했다. 말 그대로 1만 원짜리 지폐 한 장으로 5천만 원의 수익을 낸 것이다.

친구의 말을 모두 들은 나는 말했다.

"자네 이야기를 듣고 보니 참으로 우연처럼 보이고 난데없는 행운으로 여겨질 수 있는 이야기네만 결코 우연만은 아닌 것 같네. 모두 자네의 긍정적인 마음 덕분에 이렇게 좋은 결과가 난 것이라고 생각하네. 만약 자네가 그 꼬마에게 화난 상태로 혼을 냈더라면 어떤 결과가 나왔겠는가. 그 아이 아빠는 왜 그러시냐 하고 서로 못마땅하게 헤어졌을 수도 있지 않은가. 자네가 그 아이의 장점을 보았고 그 아빠한테 말해주었기 때문에 연쇄적으로 긍정의 반응이 생겨난 것일세."

친구 부부와 우리 부부는 서로 고개를 끄덕거리며 한참의 대화를 나누고 헤어졌다. 나는 그 후로 어떤 일이 마음 먹은 대로 풀리지 않는다고 화가 날 때면 친구의 일화를 떠올린다. 평정심을 갖고 만사를 대하면 더 좋은 일이 이어진다고 생각해보자.

긍정이 긍정을 낳고, 내가 먼저 긍정의 태도를 보이면 부메랑이 되어 나에게 돌아온다. 세상은 언제나 긍정이 이끌고 간다고 생각한다. 그렇게 믿어야 한다. 그것이 내가 60년 넘게 살아보고 경험한 거라 말해주고 싶다.

궁정으로 키운 아이들

결혼해서 곧바로 아이가 생겼다. 미국에서 신혼살림을 차렸고 만으로 3년이 안 되는 기간 동안 연속해서 세 명의 공주가 태어났다. 나는 아내가 임신했다는 말을 들었던 그 벅찬 감동의 순간을 잊을 수가 없다. 나는 매주 교회를 나가는 독실한 기독교인은 아니었지만, 경건하게 아내의 배에 손을 얹고 '우리에게 아기를 보내주셔서 너무 감사합니다. 우리 아기가 건강하고 착하게 잘 크도록 보살펴주십시오' 라고 기도했다. 눈을 떠보면 아내 역시 진지하게 기도하는 모습을 볼 수 있었다.

1989년 7월 20일에 나는 드디어 아빠가 되었다. 내 나이 서른일곱, 아내는 서른을 갓 넘겼으니 당시로써는 상당히 늦은 나이에 첫 아이를 맞이한 것이다. 그런 이유로 나와 아내는 첫 임신 때부터 걱정을 많이 했다. 나는 아기가 출산예정일인 7월 20일을 넘기지 않고, 건강하게 태어나기를 바라며 하루도 빼놓지 않고 아내의 배를 만지며 기도했다.

미국에서는 아이가 태어날 때 아이 아빠도 분만실에 같이 있어야 한다. 의사와 간호사와 나까지 셋이서 아내의 순산을 기다리는 것이다. 또 아이가 태어나면 바로 이름을 알려주어야 했다. 분주한 병원에서 혹시라도 실수로 아이가 바뀔 수도 있으니 즉시 이름표를 만들어 손목에 달아야 했기 때문이다.

7월 19일부터는 아내에게 진통이 오기 시작하더니 자정이 지나고 20일 새벽 3시 33분에 건강한 딸아이가 세상으로 나왔다. 예쁜 내 첫 아이가 세상에 태어난 것이다. 아이에게는 곧바로 '정한아름'이란 이름표가 붙여졌다.

둘째도 17개월 후인 91년 3월 10일(미국 시각)에 건강한 딸로 태어났다. '정소라'라는 이름을 붙여줬다. 셋째 유리는 14개월 후인 92년 5월 20일에 태어났으니 큰 아이가 31개월이 되었을 때 우리는 세 딸의 부모가 된 것이다. 결혼은 늦었지만 아이 셋을 낳기까지는 일사천리였다.

셋째를 가졌을 때 병원에서 남자아이일 수도 있다고 해서 남자애 이름을 지어두었었다. 그때만 해도 임신 중에 성별을 감별하기가 쉽지 않았고, 지금처럼 알려주는 의사도 없었다. 태어나기 한 달 전에 혹시 여자아이면 '정유리'라고 하겠다고 정해놓았는데, 이번에도 예쁜 딸아이가 세상에 나온 것이다.

이렇게 3년 만에 세 딸의 아빠가 되었고, 그 무렵 나는 구두수선업을 하고 있었다. 둘째 아이를 임신했을 때만 해도 큰애를 처가에 맡겨놓고 구둣방에 나와서 일을 도왔지만, 둘째, 셋째를 연거푸 낳은 후에는 동네 아줌마에게 맡기고 힘들게 아이들을 키웠다.

큰 애가 4살, 둘째가 2살, 막 태어난 막내까지 있었으니 아내가 얼마나 바빴겠는가. 하나가 울면 셋이 다 같이 합창을 하듯 울어버릴 정도로 차이가 없다 보니 정말 힘들었다. 항상 둘은 유모차에 태웠고, 큰 아이는 손을 잡고, 다른 한 손으로는 유모차를 밀고 다녔다.

많은 아버지와 마찬가지로 나는 아이들이 엄마 배 속에 있을 때부터 여러 가지 이야기를 들려주었다. 아내가 아기를 가졌다고 알렸을 때, 나는 이 세상을 지혜롭게 살아가는 데 필요한 '보배'를 꼭 딸들에게 물려주겠다고 마음먹었다. "금방 바닥이 드러날 수 있는 물고기(재산)를 물려주지 말고 고기 낚는

재간을 물려주라"는 명언처럼 무엇보다 인생을 대하는 태도가 중요하다고 믿었기 때문이다. 아이들이 재잘재잘 말을 하기 시작할 때부터는 퇴근 후 날마다 아이들이 잠자기 전까지 저녁 시간을 함께 보냈다.

"얘들아, 지금부터 아빠하고 놀면서 마사지하는 시간이다. 동생들은 언니 옆에 나란히 앉고 지금부터 아빠가 하는 대로 따라 해보는 거야. 알겠지? 눈을 감고 두 손을 이렇게 비벼. 자아. 이렇게 열심히 비벼봐. 그러면서 나는 예쁘다! 나는 건강하다! 나는 행복하다!"

아이들은 웃고, 서로 장난치면서도 내 행동을 곧잘 따라 했다.

"손이 따뜻해졌지? 이번에는 손바닥으로 얼굴을 마사지해. 두 눈 감고 시~작! 그리고 다시 한 번 또 외워. 나는 건강하다! 나는 예쁘다! 나는 행복하다! 그러므로 나는 무엇이든지 할 수 있다!"

이렇게 몇 번 되풀이하면서 아이들과 노는 시간을 가졌다. 그동안 아내는 부지런히 젖병을 소독하고, 먹거리를 만들고, 빨

래하고 청소를 했다.

어렸을 때 누구나 한 번쯤은 경험해봤을 것이다. 아이들이 배가 아플 때 할머니 혹은 엄마가 "엄마 손이 약손이다" 하면서 따뜻한 손으로 배를 문질러주는 일 말이다. 그러면 보채던 아이가 어느새 아픈 것도 잊고 사르르 잠이 든다. 나의 어머니도 그렇게 해준 기억이 난다. 실제로 과학자들도 손 마사지가 효과가 있다고 말한 적이 있다.

나는 과학적으로 증명된 효능을 따지지는 않았지만, 그렇게 하면 좋겠다는 생각으로 했던 것이다. 아이들과 스킨십도 자주 하고 아이들이 건강하고 예쁘고 행복해지길 바라는 마음으로 주문을 외운 것이다. 아이들도 재미있어했고 자신감도 생길 것이라는 믿음도 있었다.

아이들이 좀 더 커서 학교에 다니기 시작했을 때부터는 결코 공부를 강요하지 않았다. 가능하면 학창시절에 친구들과 좋은 추억 많이 만들고 육체적으로 건강하게 성장하는 것이 더 중요하다고 여겼기 때문이다. 그렇게 해야 스스로 공부가 하고 싶을 때 자신의 힘으로 시작하고, 지치지 않고 더 잘해낼 수 있을 거라고 믿었다.

나는 아이들이 건강하고 예쁘게 잘 자라주는 것만으로도 만족스러웠고, 더 이상 바랄 게 없다고 생각했다.

딸들의 어린 시절

“나는 예쁘다. 나는 건강하다. 나는 행복하다. 나는 무엇이든지 할 수 있다.”

만약 남자 아이라면 "나는 멋있다, 나는 건강하다, 나는 행복하다"라고 하면 된다. 나 역시 이런 주문과 행동을 40년 째 해오고 있다.

주문을 외우게 하면서, 내가 아이들에게 특별히 강조한 것은

이 두 가지였다. '자기 확신'과 '긍정의 힘'이다. 긍정적인 힘을을 기르도록 해서 무엇이든 할 수 있다는 생각을 심어준 일이야말로 아빠로서 가장 잘한 일이라고 자부한다.

훗날 한 집안에서 미스코리아가 둘이나 나오고, 큰딸은 미국 로스쿨을 나와 변호사의 길을 걷게 된 것도 특별한 비법이 있어서가 아니다. 어릴 때부터 이 아이들이 가졌던 자신감과 긍정적인 태도, 밝은 웃음을 잃지 않는 자세가 모든 길을 열어주는 마법의 열쇠가 된 것이다.

건강하고 예쁘게 장성한 세 딸

2013년도에 둘째 딸 소라와 JTBC 방송 프로그램에 함께 출연하여 이러한 이야기를 했더니, 나에게 '긍정왕 소라 아버지' 라는 타이틀을 붙여주었다. 이 타이틀은 다른 어떤 직함보다도 가장 귀하게 여기게 되었고, 내 명함 뒷장에는 방송 출연 사진을 붙였을 정도이다.

긍정왕 소라 아버지

2013년 가을이었다. 둘째 딸이 서울에서 상하이로 전화를 걸어왔다. JTBC TV 채널에서 '비밀의 화원'이라는 미스코리아 출신들과 방송인들이 모여 하는 토크쇼에 출연해달라는 것이었다. 11회째 인기리에 진행하고 있는데 12회, 13회에서는 '미스코리아를 어떻게 키웠나'라는 주제로 각자 어머니를 모시고 진행한다고 했다. 2010년 진이었던 소라는 엄마 대신에 나를 추천한 모양이었고, 방송국에서도 내가 탤런트 출신이기도 한 터라 흥미롭게 생각한 것 같았다. 그렇게 나는 청일점(남자는 나 혼자)으로 초청받았다. 한국 방송에는 35년 만에 출연하는 것이어서 약간의 긴장과 설렘도 있었다.

촬영 현장에 들어서니 TV에서나 보았던 가수 노사연, 개그

우먼 송은이, 미스코리아 출신 방송인 임지연 등 십수 명이 앉아 있었다. 그분들과 함께 미스코리아 열 명과 어머니들 9명, 그리고 청일점인 내가 열띤 대화를 나누게 된 것이다. 미스코리아 출신이기도 한 오현경, 전현무, 오상진 씨 세 명의 사회자들이 이끄는 대로 게스트들은 답변을 해나갔다. 딸을 어릴 때부터 어떻게 키웠는지, 미스코리아에 도전하게 된 동기와 그 외의 에피소드들을 얘기하며 녹화가 진행 되었다.

내 차례가 되어 소라의 어린 시절과 어떻게 키웠는지에 대해 쭉 이야기하니, 그래서 저렇게 예쁜 딸이 되었구나 하면서 '긍정왕 소라 아버지'란 타이틀을 나에게 선사했다.

JTBC 방송 프로그램 출연 장면

사실 난 어릴 때부터 지금까지 모든 일에 대해 긍정적인 마음으로 살아왔다고 자부한다. 세상이 두 쪽 나는 일은 절대 없듯이 하늘이 무너져도 솟아날 구멍은 있다는 생각으로 지금까지 지내온 것이다. 그래서 '긍정왕'이란 말을 들었을 때 다른 어느 상을 받았을 때보다 기쁜 마음이 들었다.

그 뒤로 내 명함에 소라와 내가 같이 나온 TV 화면을 캡처하여 '긍정왕 소라 아버지' 사진을 넣어 가지고 다닌다. 어떤 분이든 처음 만날 때 명함을 교환하면서 긍정왕에 대해 간단히 소개하면 자연스러운 분위기가 형성되고는 했다.

나는 이제 중년을 훌쩍 넘긴 나이가 되었는다. 이 시점에 내 삶의 가장 큰 신조는 '긍정'이라는 이 단어 하나로 모아진다고 생각한다. 타인을 긍정하고 존중할 때, 올바른 관계가 맺어지고 전혀 될 것 같지 않던 일도 슬슬 풀린다. 나 자신부터 긍정하고, 어떠한 위기에도 좌절하지 않고, 스스로 용기를 북돋을 때 위기가 기회로 바뀌는 일을 여러 번 겪었다.

2015년 2월에 나는 '다산피엔지'라는 이름으로 모국에 기업을 설립했다. 2016년에 KOTRA에서 심사한 후 인증을 받은(현재 82개 업체만 선정) 유턴기업이다. 해외에 나가서 사업을 일궈 다시 고국으로 돌아와 사업장을 내는 것을 일컫는 말이다. 나는 시퍼렇게 젊은 나이에 미국, 중국에 나가 한 시대의 빠른 전환을 목격하고 이에 합류하여 여러 나라의 현장을 돌며 글로벌 기업을 일구어냈다. 미국에서 강인한 도전정신과 청교도 정신을 배웠다면, 중국에서는 느긋하게 때를 기다릴 줄 아는 인(忍)의 자세와 평정심을 배웠다.

연어가 모천에 회귀하듯 고국에 돌아와 기업을 세웠다. 나는 우리나라 청년들의 일자리 창출을 위해 조금이라도 도움이 되고 싶어 다시 한 번 '초긍정'의 마음으로, 새로운 도전을 시작하려고 한다. 외국에서 쏟았던 열정을 이제 한국에서도 불사르려 한다. 내 인생에서 또 한 번의 도전이 활짝 열리고 있는 것이다.

긍정은 불가능도 가능으로 만든다!

변화의 기회는 놓치지 않는다

아이들은 아직 어리고, 우리 가족은 나름대로 미국 생활에 익숙해져서 남부럽지 않을 만큼 단란하게 살고 있었던 시절이었다. 그런데 사업으로 잘 나가던 셋째 형이 내 도움이 필요하다며 한국에 와서 사업을 도와달라는 말을 해왔다. 결국, 미국에서 완전히 자리를 잡기 전에 다시 한국으로 돌아가야 하는 상황이 닥친 것이었다.

내가 말하는 사업에 대한 개념과, 셋째 형이 말하는 사업은 차원이 달랐다. 형의 사업 수완이 나보다 훨씬 월등하다고 생각하고 있었는데, 내 도움이 필요하다는 것이다. 하지만 이유가 있기에 필요성을 느낀 거라 생각했다. 내가 도움을 주면 형의 사업이 생각보다 더 잘 될 거라는 데에는 의심이 없었다.

셋째 형은 학창시절부터 공부를 잘했고, 책임감도 컸다. 사업

수완 또한 뛰어나서, 이러한 형의 부름이 나에게 기회가 될 거라 생각했다. 넷째 형도 셋째 형의 사업을 거들어야 할 만큼 회사가 바쁜 때였다. 그리고 1987년, 미국 진출을 시도하게 되었다. 셋째 형의 회사에서 만든 제품으로, 미국에 있는 반도체 공장과 70만 달러(우리나라 돈으로 7억 가량)의 수출을 처음으로 계약한 것이다.

미국 업체와 수주협상을 진행할 때부터 나는 수개월 동안 영어통역을 하며 사업을 도왔다. 처음에는 무리하다고 생각될 정도의 규모라서 걱정이 되기도 했지만, 역시 배짱과 수완이 좋은 셋째 형은 특유의 돌파력으로 밀고 나갔다. 계약 성사는 물론 설치공사까지 맡았다. 납기를 맞추기 위해 화물선 대신 비행기로 건축자재를 공수하기로 한 결정은 셋째 형이 아니면 상상도 못할 일이었다고 생각한다. 이 생각은 지금도 변함이 없다. 1988년 서울올림픽 무렵에는 세계 각지에서 3년에 걸쳐 생산해야 할 엄청난 주문량이 쏟아져서 급성장한 회사이기도 하다.

90년대에 들어서면서는 우리나라 반도체 사업이 점점 활성화되어 삼성, 현대, LG전자 같은 대기업들이 줄줄이 미국과 영국에 공장을 세우게 되었다. 영국 남서쪽 웨일즈에는 LG반도체 공장이 들어서고 현대반도체가 들어서면서 내가 그 두 곳에 영업을 하여 공사수주를 하게 되었다. 그렇게 내가 이 사업의 중심에 서게 되면서 형의 인정도 받게 되었는데, 한마디로 스카웃 제의를 받게 되었다.

나는 능력 있고 책임감 있는 형의 스카웃 제의에 오래 고민하지 않았다. 그리고 1997-8년 IMF 외환위기 전까지 한국본사에서 해외업무를 맡아 일하게 되었다. 큰딸이 열 살이었고, 둘째와 막내가 각각 여덟 살과 일곱 살이었을 때였다. 그 어린아이들이 한국과 미국, 중국으로 날아다녔으니, 고생했다고 생각할지 모르겠다. 생활환경 바뀌어 고충이 생겼을 수도 있지만, 아이들이 얻은 것 또한 있다. 그 아이들은 말을 배우는 시기에 3개국에 살았고, 자신도 모르게 그 나라의 언어를 배웠다. 자연스럽게 언어를 배운다는 것은 엄청난 축복이자 행운이 아닐 수 없다. 일부러 큰돈을 들여서 해외로 언어연수를 다니는 사람들을 생각해보면 더욱 그렇다. 나는 일을 하면서 돈을 벌고, 아이들은 저절로 언어를 습득할 수 있었으니 일석이조가 아닌가.

영국에서 우리 회사가 맡은 공사가 마무리되어가던 1997년, 대한민국 역사 이래 가장 큰 경제위기가 발생하게 되었다. IMF

였다. 국내는 물론 외국에서 벌인 사업까지 모두 철수하게 되었다. 나도 비켜갈 수 없었다. 공사를 중단하고 한국으로 갔다가 다시 미국으로 갔다. 그리고 그 뒤로 새로운 시장인 '중국'으로 발을 내딛게 되었다. 나는 우리 경제의 흐름과 한 개인의 사업이 긴밀하게 이어지는 격정의 시대를 직접 경험했다.

내가 중국에 발을 디딘 시기는, 긴 시간 잠자고 있던 사자와 같은 중국이 서서히 기지개를 켜며 일어서던 때였다. 미국에서 25여 년을 넘게 살며 익힌 밑바닥 정신을 바탕으로 2001년도부터 중국에서 스스로 사업을 시작하게 된 것이었다. 새로운 운명이 나를 향해 다가오고 있었다.

만약에 형이 나를 불렀을 때 거절했다면 어떻게 되었을까? 아이들이 외국어를 배울 기회라는 생각만으로, 익숙한 보금자리를 박차고 무작정 다른 나라로 가는 사람은 없을 것이다. 그때의 결정이 오늘의 나를 만들었다고 생각한다. 또한 아이들이 세계를 넘나들며 넓은 세상을 보게 되었다.

기회는 누구에게나 온다. 기회를 만났을 때 변화하고 성장하려는 의지가 있으면 그 기회를 진짜 내 것으로 만들 수 있다. 변화할 기회가 없었다고 생각하는가? 돌아보면 후회되는 몇 가지 일들이 떠오를 것이다. 나의 모든 것을 송두리째 내 거는 것만이 기회가 아니고, 기회가 왔다고 해도 모든 게 완전히 바뀌는 것은 아니다. 항상 대비하고, 예측하고, 연구하면서 내 앞에 일들을 긍정적인 마음으로 받아들인다면 지금보다 더 큰 기회가 올 것이라고 말하고 싶다.

제주도 '세계 7대 자연경관' 선정

제주도가 세계 7대 자연경관 선정에 도전장을 내민 것은 2008년 12월이었다. 스위스 비영리재단인 뉴세븐원더스는 '세계에서 제일 아름다운 경관 7곳'을 뽑기 위해 세계 네티즌이 추천한 440곳을 대상으로 인터넷 1차 투표를 진행했고, 그 결과 제주도를 포함한 261곳이 1차를 통과했다. 그리고 제주도관광공사는 본격적인 참여를 위해 뉴세븐원더스에 공식후원기관으로 등록했다. 인터넷 2차 투표가 끝나고 나서는 전문가 심사를 거쳐 약 1년 뒤 후보지가 28곳으로 압축되었다.

이때만 해도 제주도관광공사 외에 다른 기관들은 관심을 보이지 않고 있었는데, 2010년에 우근민 제주도지사가 취임하면서부터 본격적인 지원활동이 개시되었다. '제주-세계 7대 자연경관 선정 범국민추진위원회'가 발족되었고, 정운찬 전 국무총리가 위원장을 맡았다.

제주도는 다른 후보지에 비해 뒤늦게 투표참여 운동에 뛰어든지라 상당히 불리한 입장이었다. 하지만 2011년 1월 도전 선포식을 열었고 국내외 유명인사와 기업, 재외동포, 종교계가 참여의 열기를 높인 덕분에 상황이 급진전되었다. 한국계 미국 풋볼스타 하인즈 워드와 오페라 가수 폴 포츠 등 여러 분야의 외국인 저명인사가 홍보대사로 나섰고, 후에 나의 추천과 소개로 딸 소라를 비롯해 2010년 미스코리아들도 홍보대사가 되어 열심히 활동했다.

나는 범국민추진위원회 양원찬 사무총장의 연락을 받고 정운찬 위원장님으로부터 중국 추진위 위원장 임명장을 받으면서 흔쾌하게 지원활동에 나서겠다고 말했다. 비록 몸은 해외에 있더라도 조국의 자연을 빛내고 자랑하는 일이니 거들어야 한다는 입장이었다. 더군다나 제주도는 한국의 상징적인 섬일뿐더러, 개인적으로는 신혼여행의 추억이 담겨있는 특별한 곳이기도 하다.

중국추진위원회가 결성되고 난 뒤, 나는 우선 중국 교민사회의 지원을 받기위해 재중국한인총연합회 정효권 회장에게 공동 위원장으로 함께 일하자고 제안했다. 직함을 받으면 혼자 독점하는 게 일반적이지만 나는 그렇게 하기 싫었다. 좋은 일은 함께 나눈다는 생각이었고, 정효권 회장도 이런 나의 결정을 이해하고 함께 잘해보자며 의기투합했다. 재중국한인회의 여러 지역회장들이 열성적으로 나서준 덕분에 도움을 많이 얻을 수 있었다. 상하이 한국 문화원 장사성 원장의 소개로 최지성 씨를 중국 추진위 사무국장으로 채용하여 한국 문화원 내에 사무실도 내고 중국추진위원회 사무실 현판식을 가지기도 했다. 그때가 2011년 4월의 일이다.

당시 상하이 TODA 에서 성실한 일꾼인 최지성 사무국장은 나와 함께 중국 각지의 한인회를 방문하고 본인은 여러 곳의 사업체까지도 직접 방문해서 중국어와 한국어로 된 제주 홍보 책자를 배포 하는 등 최종 선정에 큰 기여를 했다.

요즘에는 제주도를 찾는 중국인들이 넘쳐난다고 하는데, 2011년도에는 지금만큼의 많은 사람이 찾지는 않았다. 이른바 '요우커' 라고 불리는 중국인 관광객들이 제주도에 많이 방문하게 되고, 세계 7대 자연경관 선정이 되기 까지 중국 교민들의 노력이 컸다고 본다. 예전에는 중국인들이 제주도를 잘 몰랐지만, 이제는 중국인들이 선호하는 한국여행지 1순위가 되었다.

여러 사람의 간절한 마음이 모여서일까. 이전에 제주도는 세계자연유산에 등재되었고 세계지질공원인증, 생물권보전지역 지정의 유네스코 자연환경분야까지 3관왕에 올라있었다. 그리고 2011년 11월 11일에는 드디어 세계 7대 자연경관에 최종 선정되었다. '긍정의 네트워크'로 같은 목적을 가지고 함께 움직인 사람들이 있었기에 만족할만한 성과를 얻었다는 생각이 든다.

기적 같은 이야기를 하나 덧붙여서 들려주고 싶다. MBC-TV 신인 탤런트 공모 2차 시험을 볼 때, 내 첫 번째 상대역을 맡았던 고두심 선배를 제주도에서 다시 만나게 된 이야기다. 정식으로 상대역을 맡은 게 아니라 시험 때 만난 사이지만, 나는 영원히 첫 번째 상대역으로 생각하고 싶을 만큼 강렬한 기억으로 남아 있다. 누구나가 아름다운 첫사랑을 잊을 수 없는 것처럼 특별한 기억이라 더 그렇다. 그런데 '세계 7대 자연경관 추진위원회'가 시작되며 서울에서 첫 모임을 가졌을 때 눈앞에 고두심 선배가 보이는 것이 아닌가.

정말 놀라지 않을 수 없었다. MBC 실기 시험 때 허둥대며 대사를 놓쳤던 나에게 작은 목소리로 대사를 이끌어 주었던 바로 그 아름다운 천사, 고두심 선배가 맞다. 나는 선배님 앞으로 가서 옛날 시험 때의 일화를 들려주었더니, 선배 역시 깜짝 놀라하며 웃으셨다. 우리는 36년 만에 다시 만나, 추억을 회상하며 정겨운 저녁을 보냈다.

제주도는 나에게 있어 언제든 다시 가고 싶은 여행지인 것은 물론, 또 다른 고향처럼 푸근하게 느껴지는 곳이다. 제주도 사진을 볼 때마다 그리운 마음이 들기도 하고, 첫 사랑의 추억을 떠올릴 때처럼 설레고 행복한 마음이 든다. 또한 제주도에서의 일들은 '할 수 있다'는 우리 모두의 긍정이 모여 성공을 이뤄낸 것과 같다. 그 모든 일들은 또 하나의 추억이 되었다.

뛰는 놈
위에
나는 놈 있다

사업수완이 좋은 내 친구 한 명은 뛰어다녔고, 그의 미국 친구는 실제로 하늘을 날아다니면서 일을 했다면, 믿겠는가?

어린 시절부터 미국에 가기 전인 60~70년대 말까지, 한국에서 흔히 볼 수 있던 풍경은 복덕방이 있는 거리였다. 지금은 부동산 중개소라고 하지만 그때만 해도 동네 할아버지들이 심심풀이로 담배를 피우거나 잡담을 하면서 지내는 노인정 비슷한 곳이었다. 동네 집의 전세와 매매를 소개하는데 대부분 노인이 소일거리로 하던 일이었다. 긴 담뱃대를 가지고 다니며 모시 적삼을 입고, 머리에는 흰 중절모자를 쓰고, 허리는 구부정한 모습으로 손님들을 데리고 이 골목 저 골목을 걸어 다녔다. 더운 여름에는 땀을 뻘뻘 흘리며 부채질을 하면서 다니는데 그 수고에도 불구하고 매매가 이루어지지 않을 때에는 그걸로 끝이었다. 보기에도 안쓰러운 마음이 들 정도였다.

그런데 미국으로 가서 보니 복덕방이란 표현 대신 'Realty' 라는 명칭이 붙어 있었고 이것은 본격적인 부동산 사업의 영역이었다. 집과 빌딩, 사업체 등의 임대와 매매를 전문으로 하는 Realtor 라고 불리는 중개인은 거의 젊은 사람들이었다. 그들은 깔끔한 정장 차림에 캐딜락, 링컨 등 제일 좋은 대형차를 타고 다니면서 일하고 있었다. 아직 한국에서는 부동산 붐이 일어나기 전이었기에, 나는 미국의 부동산 업자들을 보고 '우리나라와는 비교가 안 되네!' 하고 내심 놀랐다. 얼마나 돈을 많이 벌기에 그런 멋진 옷으로 치장을 하고 제일 좋은 차를 타고 다니는지 늘 궁금했다.

수년 후 캘리포니아에서 만난 채수안이라고 하는 친구는 한국에서 중·고등학교 선생님을 하다가 미국으로 건너와서 젊은 나이에 중개인이 되었다. 수안(영어 이름은 마이클)이라는 이름대로 정말 '수완'이 좋아서인지, 손님들을 잘 유치하고 매일 바쁘게 뛰어 다녔다. 실리콘 밸리 산호세 지역 한인사회에서는 중개업을 잘하는 사람으로 이름이 날 정도라, 우리 친구들끼리는 '뛰는 놈'으로 부르기도 했다.

미국에 온 뒤로 나는 수안과 허물없이 지냈는데, 그 친구가 언젠가 나에게 특별한 곳에 가보자는 말했다. 나는 심심풀이 삼아 따라나섰고, 도착한 곳은 경비행기가 뜨고 내리는 자그마한 동네 공항이었다. 친구는 그곳에서 나에게 어떤 백인 친구 한 명을 소개해주었다. “하이, 잭!” 하면서 간단한 인사가 끝났는데, 잭이란 친구가 자기 전용 경비행기를 같이 타자고 말해왔다. 그렇게 나는 난생 처음 경비행기를 타고 상공을 날게 되었다. 하늘에서 내려다 보니 시내가 한 눈에 보였다. 그 멋진 풍경을 보고 있는 도중 친구와 잭의 대화가 들렸는데, 둘의 이야기를 듣자니 입이 절로 벌어졌다.

“마이클, 저기 보이지? 저 동네는 이제 개발이 다 끝나가고 있고, 저쪽 동네는 아직 개발 중인데 미리 투자를 마쳤어.”

잭은 우리 발밑에 펼쳐진 이 동네 저 동네를 훤히 꿰뚫고 있었고 2, 3년 후에는 대단히 크게 발전할 거라 전망하고 이미 투자를 마친 상태였다. 투자 액수도 보통 집값의 수십 배가 넘는 돈이 었다. 내 친구 수안은 뛰는 놈이었는데, 뛰는 놈 위에 나는 놈이 있다더니 ‘세상에, 이게 바로 그 경우구나’ 하는 생각이 들었다.

그날 이후로 잭이라는 친구를 다시 볼 일은 없었지만, 그때 그의 말을 듣고 놀랐던 기억은 잊혀지지 않았다.

"뛰는 놈 위에 나는 놈이 있다"란 말을 정말 실감하게 해주었던 잭을 생각하면 늘 웃음이 나온다. 하늘을 날며 아래를 내려다보는 잭의 모습. 사업을 하는 사람이라면, 가끔은 하늘 위를 확인하는 일이 필요하다는 걸 캘리포니아의 잭에게서 배웠다. '그래. 나도 뛰는 놈이 아닌 나는 놈이 되어야지' 하고 다짐했던 청년 시절을 보내고 20년 뒤부터는, 나 역시 날아다니며 사업을 하고 있다.

늘 자신이 최고라고 생각할 때 한 번쯤은 고개를 들어 위를 봐야 한다. 내가 앞만 보며 열심히 달리고 있을 때, 내 위에 누군가 날고 있을 수 있기 때문이다. 나보다 더 열정적으로 일하고 있는 사람이 있고, 더 지혜롭게 일하는 사람들이 있을 것이다. 지금 내가 하는 방식이 최고일 것이라는 생각에서 탈피해서 '지금보다 더 좋은 방법은 무엇이 있을까' 란 생각을 가지고 연구하는 자세가 필요하다. 겸손한 태도로, 더 좋은 방법을 찾아가며 살길 바란다.

06

사람이
재산이다

나를 있게 한 참스승님들

7개국에 진출한 우리 사업체나, 실시간 검색어 1위에 올랐던 내 인기와 상하이 별장이 재산이라면 재산일 것이다. 그러나 나에겐 눈에 보이는 재산들과는 비교도 할 수 없는 큰 재산들이 더욱 소중하다. 그건 바로 사람이다. 많고 많은 사람 중 오늘의 나를 있게 한 두 분의 스승님을 평생 잊을 수 없을 것이다.

두 분은 내 결혼식 주례와 관련이 있다. 한 분은 주례로 모시려고 했던 분이고 한 분은 주례를 맡은 분이다. 1988년 결혼식을 할 때, 내가 평생 존경하고 잊을 수 없는 중학교 때 유도 선생님이신 하낙순 선생님께 주례를 부탁했었다. 선생님은 내가 유도를 통해 지덕체를 배울 수 있게 해주신 참 스승님이자 진정한 무도인이시다. 그리고 내가 고등학교에 다시 다닐 수 있게 해주신 분이시니 내 인생 최고의 은인이시기도 하다. 선생님을 찾아뵙고 부탁을 드렸는데 선생님께서는 극구 사양하시며 배명고등학교의 조용구 교장 선생님을 주례로 모시라는 것이다. 교장 선생님의 특별한 배려로 내가 유급을 면할 수 있었으니, 당연히 교장 선생님을 모셔야 한다고 하셨다. 또 새롭게 알게 된 사실은 하낙순 선생님의 주례를 서 준 분도 조용구 교장 선생님이라는 것이었다. 하낙순 선생님은 1968년에 결혼하셨고, 나는 1988년에 했는데 주례선생님이 같게 되었다. 두 분의 스승님들은 전생부터 나와 깊은 인연이 있었던 것처럼 내 인생의 별이 돼주셨다.

1만 5천 원의 고등학교 등록금이 없어서 밖을 떠돌던 나를 학교에 들어가도록 힘써주신 하낙순 선생님, 그리고 낙제를 면하게 해주시며 나를 보고 반듯하게 생겼으니 반듯하게 살라고 말씀하신 조용구 교장 선생님을 나는 평생 존경하고 잊지 않았다. 수십 년 동안 수시로 찾아뵌다 해도 하늘 같은 은혜를 어찌 다 갚겠는가. 2001년 중국에 진출한 이후부터는 가끔 학교 행사 때에 가서 찾아뵙곤 했다. 그리고 조용구 교장 선생님께서 99세이시던 2006년에는 점심을 함께하며 이야길 나누기도 했다. 당시에는 재단 이사장으로 계시는 조용구 교장 선생님을 뵙던 중, 2009년 102세를 일기로 타계하셨다. 천수를 누리긴 하셨으나 나는 마지막에 교장 선생님을 못 뵌 것이 큰 아쉬움으로 남았다.

특히 기억에 남는 이야기가 있다. 내가 중학교 2학년 때 전교 학생들이 모인 자리에서 교장 선생님께서는 본인(선생님)이 외국에 가보았더니 그곳에서는 치아를 위아래로 닦는 것이 좋다 하니 여러분들도 앞으로는 그렇게 칫솔질을 하라고 말씀하셨다. 그 말에 나는 그때부터 칫솔질을 위아래로 하게 되어 건강한 치아를 갖게 되었다. 지금도 이를 닦을 때마다 조용구 선생님을 생각하곤 한다.

99세의 조용구 이사장님과 함께

교장 선생님께 죄스러운 마음이 있던 2010년 10월에는 한국에 도착하자마자 하낙순 선생님이 계시는 부산으로 달려갔다. 선생님은 호텔을 경영하고 계셔서 쉽게 찾아뵐 수 있었다. 세월에는 장사가 없나 보다. 운동으로 잘 다져진 몸매의 잘생긴 선생님은 안 계시고, 작아진 체구의 선생님을 마주 보니 눈시울이 저절로 붉어졌다. 선생님은 막내아들까지 결혼시키고 이제는 작은아들 내외와 손녀들과 함께 근심 걱정 없이 지내신다고 했다.

오랜만에 만났기에 스승과 제자는 할 이야기가 많았다. 저녁 식사 때가 된 줄도 모르고 이야기꽃을 피웠다. 사모님께서는 당뇨가 있는 선생님의 식사가 늦어지면 안 된다고 하시며 선생님과 나에게 사랑의 역정을 내기도 했다. 밥상이 앞에 있었지만, 선생님과 나의 이야기는 끊어지지 않았다. 너무 길다 싶기도 하고 선생님이 힘드실까 봐 그만 일어나겠다고 말씀드렸더니 이런 답변을 하셨다.

"나는 내일이 없다. 그저 오늘이 가장 중요할 뿐이다."

헤어지기 아쉬웠으나 선생님의 휴식을 위해 일어났다. 선생님은 기어이 밖까지 배웅을 나와 주셨다. 택시를 타고 뒤돌아보니 그때까지도 길에 서서 손을 흔들고 계셨다.

"선생님! 건강하게 오래오래 사세요."

2015년에도 하낙순 선생님을 다시 찾아뵈었다. 지금도 자주 문안 전화를 드린다.

여러분도 생각나는 사람들이 있다면 바로 만나거나 아니면 전화라도 걸어 서로 안부라도 물어보길 바란다. 이런 것이 사람 사는 맛 아닐까?

나의 중학교 시절 참스승님인 하낙순(유도 8단) 선생님

30년
우정의
정순영 박사

미국에 입국한 뒤로, 나는 연배와 직업에 구애치 않고 여러 사람과 친분을 쌓게 되었다. 한국이었다면 장유유서라고 일컫는 엄격한 위계질서를 따지게 되어, 연을 이어가기 쉽지 않았을 것이다. 하지만 나는 지역 연고, 동문, 신분 등을 따져서 거리감을 느끼기 전에 그들과 유쾌한 우정을 나누기 시작했다. 이러한 인연들은 사람에게 소중한 자산이라고도 말할 수 있을 것이다.

내가 살았던 실리콘 밸리(Silicon Valley)라 불리는 동네는 날씨 하나는 참으로 끝내주던 곳이다. 이미 주변 사람들에게도 몇 번을 말했지만, 이렇게 기후가 좋은 곳에서 사는 것 자체가 행운이라는 생각이 매일매일 들 정도였다. 일 년 내내 섭

씨 15~25도 사이의 온화한 기온이 왔다 갔다 하니 말이다. 모기도 없고 사람을 귀찮게 하는 벌레도 잘 보지 못했다. 기후가 적절하니까 생존에 집착하지 않고 차분하고 길게 끌어가는 여유를 가지게 된 건 아닐까. 이러한 연고로 하이테크 산업이 발달하게 된 실리콘 밸리는 이제 전 세계에서 모르는 사람이 없을 것이다. 이러한 선물 같은 동네에 사는 것만 해도 행복한 일인데, 주변에 사는 사람들도 좋았다.

그중에서도 오랜 시간 가까이 지내고 있는 분은 내가 미국에 가서 살기 시작한 78년도부터 만나온 정순영 박사다. 정 박사는 66년도에 미국 유학을 가서 철학 박사(Florida State Univ. Ph.D)학위를 따신 분이다. 나와 비슷한 시기에 실리콘 밸리 산호제로 왔다. 미국으로 건너올 때 정 박사는 '병아리 감별사' 자격을 땄는데, 당시 본격적인 양계산업이 시작될 때라 꽤 주가가 높았다고 한다. 감별사 일을 하며 돈을 모으던 중, 유학생 신분으로는 풀타임으로 일을 할 수 없어서 파트타임으로 호텔에서 접시 닦는 일을 하게 되었다.

80년대 중반에 이미 실리콘 밸리 한미 상공회의소 회장을 역임할 정도로 활동적인 분이었다. 그는 1937년 자신의 탄생 연도와 금문교 건설 시기가 딱 맞아 운명적으로 샌프란시스코 근처에 살게 될 팔자였다는 농담을 하곤 했다.

우연한 기회로 정 박사와 상공회의소 일을 함께하게 되었고, 당시 내가 부회장을 맡게 되어 근 삼십년을 알고 지내는 중이다. 내가 15년 연하인데도 격의 없이 대해주시고 내 적잖은 허물도 눈감아 주는 '선배 친구'이자 '친구 선배'다. 또 천성이 학자이면서, 대단한 로맨티시스트이다. 우리나라 역사와 미국사에 정통한 분이지만 흥이 나면 '얼굴'과 '베사메무초'를 멋들어지게 부르는 낭만가객의 모습을 보여주기도 한다.

30년 우정의 정순영 박사와 미국 실리콘 밸리에서

2001년에 내가 중국으로 건너온 뒤부터는 정 박사가 거의 매년 상해에 있는 우리 집에 방문하여 길게는 한두 달, 짧게는

2~3주 정도 머무르다 간다. 그리고 중국 내에서는 물론, 해외 출장 시에도 나와 동행한다. 미국에 가면 어김없이 몬터레이 17마일 도로 해변을 낀 골프장에서 운동을 함께 한다. 베트남, 말레이시아, 몽고 등에 함께 갔을 때는 각 나라의 역사, 철학을 꿰뚫는 말씀을 청해 듣는 것은 나만이 누리는 온전한 특혜이기도 하다.

나는 내 객쩍은 농담을 곧잘 받아주는 이 분과 지내는 게 그렇게 좋을 수가 없다. 혈연보다도 가까운 사이를 유지한다는 것이 또래 친구들과도 쉽지 않은 일인데, 15년 나이 차이를 넘어 오랫동안 함께 할 수 있는 것은 전적으로 정순영 박사의 인격 덕이라고 생각한다. 이렇게 오랜 세월 가까이 지내다 보니, 다른 사람들이 박사에게 "어찌 어린 후배와 벗을 하느냐"는 질문도 자주한다고 들었다. 나 또한 이와 비슷한 질문을 많이 받았다. 사람들이 부러워하면서 물어볼 때마다 나는 이렇게 대답한다.

"좋은 인연이 되어서 그렇습니다."

나는 사람을 한 번 만나면 진심을 담아 사귀고, 가능하면 오랫동안 좋은 인연을 이어가려고 노력한다. 잘 아는 숲길도

발길을 자주 하지 않으면 넝쿨이 지고 잡목이 우거져 길을 헤매는 법이다. 가까운 사람일수록 더 많은 이해의 노력을 기울이는 것이 오래 묵을수록 좋은 장맛의 비법이라 믿는다.

배워서 **남** 주는 구당 선생님

나는 중국에서 여러 직책을 맡고 있는 중인데, 그중 사람들에게 익숙하지 않은 독특한 이력도 있다. 바로 '침뜸사랑봉사회' 회장이다. 이름도 긴 이 봉사회의 회장을 맡게 된 건 침뜸의 대가 '구당 김남수' 선생님을 모실 기회가 생기면서부터다. 구당 김남수 선생님은 과거에도 유명한 분이었는데, 요즘 다시 한국 뉴스에 진정한 명의로 언급되고 있다.

2012년 어느 날이었다. 나는 상하이 한국상회 김영만 부회장에게서 걸려온 전화를 받았다. 한국에서 중국에 강연하러 오시는 귀한 손님이 있는데, 내 차를 사용해야 할 것 같다는 전화였다. 나는 그러시라고 했고, 강연 시간까지 시간이 남으니 차를 대접하겠다고 집에 모신 적이 있다. 그분이 김남수 선생님이셨다. 얼굴은 처음 뵀지만 언론을 통해 함자를 알고 있었기에 정중히 인사드리고 차를 대접했다. 구당 김남수 선생님은 현재 백 살을 넘긴 분으로 평생 침과 뜸으로 몸이 아픈 사람들을 치료해주는 것으로 널리 알려진 분이다. 미국에 살았던 나도 언론을 통해 알고 있었을 정도이니 말이다.

그분과의 만남 자체가 영광이라 한 마디 한 마디를 경청하며 듣고 있었다. 선생님은 대뜸 내게 말씀하셨다.

"배워서 남 주게나!"

'배워서 남 주냐?' 가 아니라 배워서 남을 주라는 말을 처음 들어서인지 충격으로 다가왔다. 어릴 적부터 우리는 '내가 잘 배워서 내가 잘 써먹으라' 는 말을 숱하게 들으며 살아오지 않았는가. 나 역시 배운 것을 나에게 사용할 생각만 하면서 살아왔다. 어쩌면 우리는 나 혼자 잘 배워서 나 혼자 잘 사용하라는 이기적인 말을 들으며 살아왔고, 그러한 방식으로 살아가고 있는지도 모르겠다.

배워서 남에게 주라는 말을 들어 본 사람은 거의 없을 것이라고 생각한다. 그런데 선생님은 멀리 타국에서 처음 만난 나에게, 이러한 말씀을 해주신 것이다. 그분의 삶 자체가 배워서 남 주는 삶이었기 때문에 자연스레 나온 말씀이리라. 지당한 말씀을 듣고 즉시 "선생님, 제가 무엇을 도와드릴까요?" 하면서 말을 걸게 된 것이 인연의 시작이었다. 선생님 말씀을 듣고 나서 순간 부끄러움을 느끼기도 했고, 지금까지 내가 남에게 전할 수 있는 것이 무엇인지 생각해보는 시간도 가져보았다. 그렇게 해서 떠오른 것들이다.

1. 신뢰가 가장 중요하다.
2. 고민하지 않고 연구한다.
3. 예측하고 대비하자.

이 세 가지를 더 많이 전파하고 알려야겠다는 생각을 했다. 고민하지 않고, '연구'라는 개념에 몰두하겠다는 사람이 많아지는 추세라, 나도 여러 사례를 들어가며 많은 이들에게 설명을 하고 있다.

오래전, 내가 전통의술인 침에 대해 직접 체험하게 된 적이 있다. 중학교 시절 넘치도록 열심히 운동할 때다. 낮에도 밤에도 운동을 해서인지 언젠가부터 한 쪽 어깨가 몹시 아팠다. 통증에도 불구하고 합기도장으로 갔더니, 관장님이 자신의 무릎에

장침을 꽂고 안쪽에서 바깥쪽으로 빼내는 것이 아닌가. 놀랍기도 했지만 내 눈으로 직접 보고 있던 중이라 믿음이 갔다. 나는 관장님께 어깨 통증에 대해 더 자세히 설명했고, 침을 놓아달라고 부탁했다. 그리고 침을 맞고 나자마자 통증은 순식간에 사라졌다.

20대 초반이었던 어느 날 새벽에 갑자기 오른쪽 아랫배가 심하게 아파 대학 병원에 갔더니, 요로결석이라는 진단을 받았다. 수술해야 하는데 수술비가 30만 원이라는 것이었다. 대학 등록금 11만 5천 원이 없어 쩔쩔매던 시절이었으니, 나에게는 정말 큰돈이었다. 해서 수술을 하지 않고 한약방으로 가서 한약 한 첩으로 나은 적도 있었다. 믿기 어려운 일이었다.

세월이 지나 40대 중반이 되어서도 전통의학과 관련된 놀라운 일을 겪은 적이 있다. 일본에 가서 일본어를 공부하라는 형의 권유를 받은 나는 일본 동경 근처 지바현에 단신으로 가서 일본어를 공부하게 되었다. 한 달 정도가 지나자 주변 지역을 어느 정도 알게 되어, 주말이면 골프채를 자전거에 싣고 골프연습장으로 갔었다.

그런데 연습이 끝날 때쯤 볼을 때리는 순간, 갑자기 머리 뒷부분 위쪽으로 벼락을 맞은 기분이 들었다. 당시에는 무슨 일이 벌어진 건지 채 확인도 못하고 발끝까지 짜릿함을 느끼며 그 자리에 고꾸라지고 말았다. 나는 자전거와 골프채는 연습장에 놔두고 두 손으로 벽을 짚어가면서 겨우 숙소에 들어왔다. 그리고 방안에 들어서자마자 다시 침대에 고꾸라졌다. 천정을 보고 있는데, 모든 신경이 연결이 안 되는지 두 손만 움직이고 다른 신체 부위는 전혀 움직이지 않는다는 걸 느꼈다.

'아, 외국 땅에서 혼자 이렇게 되었다니…. 이제 어떻게 해야 하나.'

아찔한 생각마저 드는 순간이었다. 한참을 그렇게 누워 있었는데, 불현듯 몇 년 전에 둘째 형이 말했던 수지침 이야기가 떠올랐다. 둘째 형과 비행기를 타고 있던 중 셋째 형이 허리를 삐끗했는데, 수지침을 배워서 항상 휴대하고 다니던 둘째 형이 침을 놔주었다는 것이다. 그리고 금방 나아졌다는 이야기였다. 이후 둘째 형은 나에게도 수지침 비상요령을 알려주었다.

손바닥은 내 몸 안 부위와 연결이 되고, 손등은 내 몸 등과 연결이 되는 것이니 그것만 알고 있으라는 말이었다. 순간, 내가 지금 몸 전체를 못 움직이니 형 말대로 내 손 등 어딘가 내 상태와 연결이 되어있을 테고, 그곳을 눌러야겠다는 생각을 했다. 다행히 두 손은 움직이는 게 가능했던지라 한 손으로 다른 한 손의 등을 여기저기 만지기 시작했다. 다른 곳은 아무렇지 않은데 유독 손등 가운데 한 곳만 엄청나게 아팠다. 본능적이기도 했거니와 다른 방법도 없고, 도와줄 사람도 없는 지경이라 그곳을 집중해서 눌렀다. 얼마나 많이 누르고 세게 눌렀는지 피부가 벗겨질 정도였다. 그러자 신기하게도 몸이 풀리기 시작하더니, 다음 날이 되어서는 언제 아팠냐는 듯 몸이 멀쩡해진 적도 있었다.

또, 50살이 되었을 때도 비슷한 경험이 있었다. 외국으로 계속 출장을 다니고 집에 도착해서 쉬려고 침대에 누웠는데 허리에 충격이 온 것이다. 몸도 움직일 수 없었고 통증도 심했다. 나는 겁이 잔뜩 났다. 이건 또 무슨 일인가. 큰일이다 생각할 때, 비행기에서 읽었던 월간지 기사가 떠올랐다.

월간지 기자가 수지침 대가와 인터뷰한 것을 요약한 기사였는데, '옳거니, 이거다' 하면서 공감했던 기억이 났던 것이다. 엄지손가락 안쪽은 사람의 앞면이고, 엄지 바깥쪽은 사람 몸의 뒷부분과 연결이 된다는 내용의 기사였다. 미리 알아두면 좋은 내용이라고 생각하며 메모까지 해두었었다. 그런데 당시에도 몸을 움직일 수 없는 상황이라 부지런히 손가락으로 문지르고 누르기를 반복했다. 시간이 얼마나 지났을까. 굳었던 몸이 서서히 돌아오는 것이 느껴졌다. 물론 내가 위에서 말한 경우는 사람마다 다를 것이라는 생각이고, 참고가 되었으면 하는 마음이다. 전통의학이 나를 위험에서 여러 차례 구해준 것이나 다름없어 마니아가 되어 있을 무렵, 구당 선생님을 만나게 되었으니 기분이 남다를 수밖에 없었다. 선생님과의 만남이 운명처럼 여겨졌다.

우리는 현재 '100세 시대'를 살고 있다. 그리고 구당 김남수 선생님은 '100세까지 건강하게 활동할 수 있는 증거'를 보여주고 계시다. 오랜 세월 동안 중국과 한국에서는 전통의학인 침과 뜸으로 우리 몸의 건강을 지켜왔다. 나는 구당 선생님의 시연을 통해 상하이 교민들이 건강하고 행복한 삶을 사는 데 도움이 되길 바라는 마음으로 특별강연회를 여러 번 개최했다. 강연회에 그치지 않고 뜸을 널리 보급하는 데 앞장서고 있기도 하다. 그렇다고 전통의학만을 맹목적으로 믿는 것이 아니라, 서양의학과 병행하면 어떨까 하는 생각도 가지고 있다.

돈과 명예를 잃으면 인생의 절반을 잃은 것이고 건강을 잃으면 전부를 잃는다고 한다. 정기적으로 검진을 하고 매일 운동을 하여 체중조절을 게을리하지 않으면 적어도 전부를 잃지는 않을 것이라고 확신하며 살고 있다.

구당 선생님이 오래도록 건강하게 지내시면서 지금처럼 남을 위해 봉사를 해주시길 바란다. 나도 앞장에서 말한 세 가지 외에 간단하고 꾸준한 건강관리에 대해 더 적극적으로 알리며 나눠주는 삶을 실천하겠다는 의지를 다져본다.

'배워서 남주는' 구당 선생님의 100세 기념 모임

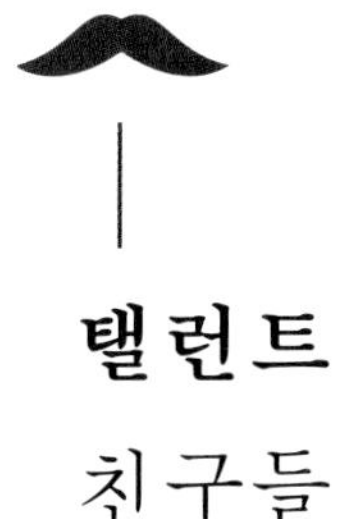

탤런트 친구들

1977년 1월경, 내가 제대한 지 거의 한 달이 되었을 즈음 형과 함께 텔레비전을 보다가 MBC에서 신인 탤런트를 뽑는다는 자막을 보게 되었다. 나는 연극을 한 적도 없고 연기 학원에 간 적도 없는 놈이었지만, 일단 한번 도전해보자는 생각으로 지원했다. 그리고 아직 군인 티를 다 벗지도 못한 그때, 단 한 번만에 탤런트 공채시험(9기생)에 합격하게 되었다. 젊은이들의 선망의 대상이며 꿈이었던 탤런트가 된 것이다.

탤런트 공채 시험은 총 4번으로 나뉘어 있었는데, 시험 보는 동안 유독 눈에 띄고 폼이 나는 멋진 친구가 있었다. 나중에 합격해서 보니 그 친구가 바로 길용우였다. 나보다 어린 나이였지만 대학교에서 연기를 전공했던 친구로, 연기 공부를 전혀 해본 적이 없는 나와는 완전히 딴판이었다. 그렇게 멋있었던 용우는 동기생들과도 스스럼없이 친하게 지내고, 반장이었던 변영철과 나를 잘 따르며 재미있고 즐거운 신인 탤런트 생활을 함께 이어나갔다.

젊고, 혈기왕성했던 탤런트 동기들은 배역이 없는 날에는 명동으로 나가서 멋과 아름다움을 뽐내고 다녔다. 많은 사람이 우리를 따라다니며 사인을 요청하는 일도 많았다. 이 또한 우리의 즐거움 중 하나였다. 하루가 멀다 하고 함께 길거리를 쏘다니는 것도 즐거웠고, 사람들이 우리를 알아보는 일도 신이 나던 시절이었다. 이때 동기였던 길용우는 군대를 가게 되었다.

신인시절이돈 1977년, 전라북도 이리역에서 화약 폭파 사건이 일어났다. 수많은 사상자가 나고, 이재민까지 생긴 큰 사건이었다. 그리고 나는 탤런트 생활 1년 만에 집안의 반대에 부딪혀 연기자 생활을 접게 된 때이기도 했다. 미국으로 가기 전, 언론에 이리역 사건이 보도되는 것을 본 내가 떠올렸던 게 앞서 나왔던 '이리역 이재민 돕기 모금 MBC 신인 탤런트 일일 찻집'이었다. 동기 반장인 변영철이 좋은 생각이라며 적극적으로 참여에 나서 주었다. 다른 동기생들도 역시 너나 할 것 없이 전원이 참가 하게 되었다고 생각한다. 그리고 연말이 되어, 일일 찻집은 성황리에 마칠 수 있었다.

그때 길용우는 휴가 중 군인 신분으로 짧은 머리를 하고서 열심히 일했던 모습이 기억에 남는다. 군인에게 있어 휴가 기간은 정말 금쪽같은 시간인데, 쉬지 않고 우리들과 같이 일해주니 감동 하지 않을 수 없었다. 가장 열심히 움직였던 여자 동기인 서창숙, 이경순, 김인숙, 오경애, 김신숙, 정윤선 중 연기를 계속 한 사람도 있지만, 몇 년 뒤 결혼해서 브라운관을 떠난 이들이 많았다.

일일 찻집을 마친 이후 나는 미국으로 떠났고, 한동안 용우를 못 본 사이 그는 유명한 배우가 되어 있었다. 후에 가끔 한국에서 만나게 되었을 때 나에게 "형, 나는 6개월은 일하고 6개월은 놀아요"하는 말에 우리나라 연기자들의 실상을 듣는 것 같아 마음이 편치만은 않았다. 나는 그가 앞으로도 좋은 배역을 받아 더욱 사랑받는 연기자가 되기를 마음으로 빌고 있다.

길용우 외에 내가 또 언급하고 싶은 절친한 연기자 친구가 있다. 내 중고등학교 친구이기도 하다. 나와는 50년 지기 죽마고우로 지내고 있다.

솔직히 말하자면, 나는 연기 수업을 따로 받지 않았지만, 어릴 적부터 연기에 소질이 좀 있었다고 생각한다. 학교를 다닐 적에 서부영화를 보는 것이 유행이었는데, 그때 미국 배우 클린트 이스트우드가 나오는 서부영화를 보고 따라 하겠다고 나 혼자 거울을 보고 흉내를 낸 적이 많다. 집안에서도 좀 유별난 행동을 한 적이 있었는데 이런 나 못지않은 친구가 중학교 같은 반에 있었다. 또 나처럼 배우가 되고 싶어 했다. 그가 바로 지금 이름만 대도 사람들이 잘 아는 독고영재이다. 당대의 유명한 액션스타로 '독고 성'이라는 개성 있는 배우가 있었다. 나 또한 굉장히 좋아하던 분이었는데, 그의 아들이 같은 반 내 친구 전영재였다(이후에 독고영재로 이름을 바꾼다). 아버지를 닮아서인지 그 친구도 일찍이 배우가 되기로 작정한 것 같았고, 영화배우 흉내를 잘 냈다. 반에서 장기자랑 시간이 벌어지면 나와 함께 연기하면서 가까워질 수 있었다. 우리 둘이 만나면 하는 말이 있었다.

"그래, 우리 이다음에 커서 멋있고 유명한 배우가 되자."

배우 흉내를 내면서 서로를 격려했던 둘. 우리는 나중에 그 꿈을 정말로 이루게 된다. 영재는 영화배우, 나는 탤런트가 되어 말하는 대로 된 것이다. 그러나 나는 집안의 반대로 연기자의 꿈을 접고 미국으로 떠나게 되었는데, 영재는 신인배우가 되어 많은 배우가 그런 것처럼 힘든 생활을 시작하게 되었다. 사실 영화배우나 탤런트나 연극배우나 구분할 것 없이, 정말 유명해진 '스타'가 되기 전까지는 그 과정에서 어려움을 많이 겪는다. 내가 알던 탤런트 선배들 역시 수년간 무명 연기자로 지내면서 그 시절을 견뎠고, 5년이나 10년 후에 꽃을 피우기도 했다. 혹은 진짜 연기처럼 한순간에 사그라질 수도 있는 것이 연기자이다.

영재 역시 긴 무명 시절을 겪고 나서야 비로소 빛을 보게 되었다. 개인적으로는 이러한 경우도 그리 나쁘지는 않은 것 같았다. "일찍 핀 꽃이 일찍 진다"는 속담이 있듯, 너무 빨리 스타가 되어버리면 그만큼 일찍 사그라들 수 있다는 생각이었기 때문이다. 다행히 영재는 천천히 피는 꽃이 되었고, 방송에서 반백의 중후한 중년의 신사로 나오고 있어 많은 여성 팬들이 좋아하는 연기자다.

길용우와 독고영재는 나와 젊은 시절을 공유한 친구들인데, 그 둘도 대학 선후배이자 동료 배우로 수십 년간 좋은 인연을 이어가고 있다. 이렇게 훌륭한 연기자가 된 친구들이 있어 내가 다 뿌듯하다. 두 사람이 내가 못 다한 연기의 몫까지 해주길 바라며, 둘의 앞날을 기대해본다.

함께 가야 **멀리** 간다

세상을 살다 보면 수많은 사람들을 만나게 된다. 태어나자마자 나를 낳으신 부모님을 만나고, 형제자매와 친척들, 그리고 소꿉친구부터 학교 친구, 군대 친구, 사회 친구, 직장에서 만난 여러 사람들 까지…. 다 헤아릴 수 없을 정도다. 그중 일반적인 만남이 아닌, 아주 드문 확률로 만나게 되는 사람이 있다. 이 사람을 사주팔자에서는 '귀인을 만난다'고 일컫는다. 앞서 나는 나에게 귀인과도 같은 분들에 대해 적었었다. 그리고 여기 또 한 분에 대해 말해보고자 한다.

그는 아버지를 일찍 여의고 홀어머니와 살고 있었고, 중학생이 되었을 때는 학교를 다닐 수 없을 정도로 집안 사정이 좋지 않았다. 그런데 이렇게 힘든 상황에서 어느 날 놀라운 분을 만나게 됐다. 파란 눈에 백발이 성성한 백인 할아버지, 스코필드 박사(34번째 민족대표)이다. 그는 이 박사를 만나고 나서부터 인생이 바뀌는 경험을 하게 된다. 박사의 도움으로 학업을 계속 해나갈 수 있었고, 열심히 학교에 다니며 공부 하고, 수십 년 후에는 서울대학교 총장이 된다. 그리고 다시 시간이 흘러 대한민국 40대 국무총리의 자리에 오른다. 현재는 스코필드 박사의 정신적, 경제적 바탕과 따뜻함을 이어 받아 '스코필드 기념사업회'의 회장을 맡았다. 어려운 시절을 지나, 새로운 인생의 시기를 맞이한 그는 정운찬 전 총리다.

그는 국무총리를 하던 중 정부 내에서 동반성장위원회를 만들어 위원장으로도 지냈고, 더불어 다함께 잘사는 사회를 만들고자 노력했다. 총리 임기가 끝난 후에는 동반성장 연구소를 만들어 '스코필드 기념사업회' 회장직과 겸해서 이사장을 맡고 있다. 정 이사장과의 인연은 2011년으로 거슬러 올라가야 한다. 따뜻했던 4월, 한국에서 한 전화가 걸려왔다. 제주도 관련 일이라기에 정확히 어떤 일인지 물었더니 '세계 7대 자연경관' 선정에 제주도가 후보에 올랐다는 것이다. 범국민추진위원회가 출범을 하는데, 내가 중국 쪽 위원장을 맡아 줬으면 하는 요청이 온 것이다.

나는 2009년부터 2010년까지 중국 상하이에서 한국상회와 한인회장 및 상하이 한국학교 재단 이사장을 겸임하고 있었다. 아마 이와 같은 경력이 있기에 추진위에 참여하면 도움이 될 거라고 생각했던 모양이다. 아직 자세한 내용은 잘 모르겠으나 일단 참여하겠다고 승낙했다. 빠른 결정이었지만 이유는 있었다.

왜냐하면, 제주도이기 때문이다!

나는 미국에서 산지 10년 만에 그곳에서 만난 재미 교포 여성과 결혼했고, 신혼여행을 제주도로 갔었다. 난생 처음 대한민국의 아름다운 섬을 만날 수 있었고, 내가 좋아해마지 않는 제주도를 위한 일이여서 고민할 생각조차 들지 않았다.

내가 미국과 중국에서 산 기간을 합치면 거의 30년 이상인데, 이 긴 세월을 외국에서 사는 동안 조국을 위한 일이라면 무엇이든 하려고 했다. 그 일이 작건, 크건 간에 조건 없이 발 벗고 나서야 한다는 생각을 항상 간직해왔던 것이다.

그렇게 나는 추진위에서 개최한 모임에 나가게 되었고, 그 자리에 참석한 정운찬 전 총리를 처음으로 만났다. 언론과 책 등 여러 경로를 통해 평소 존경심을 품고 있던 인물을 만나게 되니 기분이 남달랐다. 추진위에서 함께 일을 하게 되어 참으로 영광스러웠고, 최선을 다해야겠다는 다짐까지 했었다. 이후 일본 추진위원장이 동경에서 개최한 발대식에도 같이 참석하며, 이런 저런 일로 자주 만날 수 있었다. 또한 내 나름대로 6개월이라는 시간 동안 혼신의 힘을 다해 제주도 홍보에 힘썼다.

결국, 제주도가 세계 7대 자연경관에 선정되었다. 좋은 결과를 얻으면서 일을 마칠 수 있게 된 것이다. 나는 정 이사장과 정효권 공동위원장(당시 재중국 한인 총연합회 회장) 등 그동안 수고와 협조해주신 분들을 상하이로 초대해 제주도 선정을 축하하는 자리를 만들기도 했다.

지금도 나는 서울에 갈 때마다 정 이사장을 방문해서 이런 저런 이야기를 나누기도 한다. 지금 활동하는 연구소 사무실로 찾아갔을 때는 "동반성장에 좋은 영향을 끼칠 수 있는 일이 무엇이 있을까"에 대한 얘기를 들을 수 있었다. 동반성장이란, 간단히 말하자면 "모두 함께 잘 살자"라고 할 수 있다. 정 이사장의 이야기를 나 혼자만 들을 것이 아니라 상하이에 거주하는 교민 여러분도 들었으면 좋겠다는 생각이 들었다. 2016년 9월에는 상하이로 초대해서 정 이사장의 동반성장에 관한 이야기를 많은 교민들과 함께 들었다.

아직도 내 마음속에 새겨진 그 말.

나 혼자 잘 살자가 아닌, 함께 잘 살자는 말을 명심하고 있다. 다시 한번 동반성장 연구소 정운찬 이사장의 말을 강조하고 싶다.

"함께 가야 멀리 간다!"

정운찬 총리와 나

살아서 초대하는 **장례식장**

나는 한 명의 거장을 미국에서 만나게 되었다. 개인적으로는 누나라는 호칭으로 부르는 게 더 편한, 신예선 작가다. 신 작가는 <에뜨랑제여 그대의 고향은>, <무반주 발라드>라는 장편소설을 냈고, 2012년 이병주 국제문학상 대상을 받기도 했다. 팔순을 앞둔 지금도 활발하게 샌프란시스코 한인 매체에 세계의 시를 소개하고 칼럼을 발표하는 현역 문학인이다.

신 작가는 상대방에게 강렬한 에너지를 전해주며, 주변을 순식간에 사로잡는 마력이 있다. 북가주 지역 한인커뮤니티에서는 모르는 사람이 없을 것이다. 북가주에서 각종 여성단체, 문학단체를 이끌면서 매년 문학캠프를 열기도 했다. 한국에 있던 어린 시절부터 남달랐던 문체로 각종 독후감과 문학대회 입상을 휩쓸었다는 것이 전설처럼 들려오는 분이니 미국에서 고국의 언어로 얼마나 열정을 다해 작품을 썼을지 짐작된다.

그녀는 1981년 북가주 최초의 '한국문학의 밤'을 기획하기도 했다. 그해 7월에 샌프란시스코에서 세계 시인대회 참석차 와있던 조병화 시인을 비롯해 명망 있는 국내 문인 17명이 대거 한자리에 모였다. 지금으로부터 30년 전에 4백여 명의 한인들이 모였으니 정말 대단한 행사였다. 그 후로도 북가주 문학 행사는 꾸준히 열리고 있다. 파블로 네루다, 솔 벨로, 마리오 바가스 요사 등 노벨문학상을 수상한 쟁쟁한 작가들과 국제 PEN대회에서 찍은 사진들은 신 작가의 문학인생에서 가장 빛나는 순간 중 하나일 것이다.

내가 미국으로 이주한 초년부터 신 작가와 인연을 나의 총각시절과 내 아이들이 성장하는 과정까지 모두 지켜봐 주었다. 나를 부를 때는 '아름다운 종합세트'라고 말하며 늘 과분하게 아껴주는데 나뿐만 아니라 누구에게든 참 진솔하게 대해준다. 백발이 무성해진 나이에도 늘 여러 사람을 만나고 '삶이 신비로워 늘 가슴이 설렌다'는 신 작가에게 배우고 싶은 것이 참 많다.

특히 배워야 할 것은 멈추지 않는 열정 같다.

매력적인 작가 신예선 누나과 함께

낭만과 순수와 열정이 살아있는 표정으로 모든 일을 바로 어제 일처럼 말하는 신 작가를 보면서 '나도 저렇게 나이 들어야 하는데……' 하고 생각했었다. '오래 사는 것도 인간 승리 중 하나' 라는 말끝에 신예선 누나가 엉뚱한 제안을 하나 해왔다.

"그동안 많은 삶의 경조사를 겪어봤지만 장례식들이 그렇게 한결같이 김이 빠지고 재미가 없던지 원……. 더군다나 당사자는 죽어서 말이 없잖아. 그 사람을 보러 간 것인데 고인과는 어떤 대화도 나눌 수 없고. 그래서 한영, 내가 이런 생각을 해봤어."

누나가 말을 한 박자 쉬면서 눈빛을 초롱초롱하게 빛내며 말을 이어갔다.

"내가 내 이름으로 장례식 초청장을 보내는 거야. '신예선 장례식' 이렇게 글자만 딱 박아서 말이야. 어때! 살아서 치러야 오랜만에 못 보던 사람도 만나고 좋잖아. 내 인생 내가 어떻게 살았는지 따끔한 충고도 듣고, 죽은 다음에는 뭘 어떻게 해볼 수가 없지 않겠어?"

'문단 데뷔 50년인 2016년의 이벤트로는 이만한 게 없겠다' 싶은 생각이 들으면서도 설마 이걸 정말로 실행하겠다는 것은 아니겠지라는 생각이 동시에 찾아왔다. 하지만 누나 앞에서는 무어라 표현할 수는 없었다.

아마도 어느 햇볕 좋은 어느 날, 누나는 나에게 자신의 이름이 적힌 부고장을 보낼 것만 같다. 고인을 찾아가는 장례식장이 아니라, 반가운 누나의 얼굴을 보러가는 장례식장에 초대받게 되는 것이다.

고인이 없는 장례식장에 초대를 빨리 받아야하는지, 늦게 받아야하는지는 아직도 잘 모르겠다. 하지만 확실한 건, 누나의 초대를 받게 될 그날이 눈앞에 그려진다는 것이다. 백발이 무성한 남녀 후배들을 줄 세워놓고 유쾌한 농담을 늘어놓을 멋진 누나. 아름다운 그녀의 인생에서 배울 점이 참 많다.

베트남 **한국** 거장들

외교관은 누가 되는가. 일반적으로는 외무고시를 통과해야만 될 수 있는 것으로 알고 있다. 그렇게만 생각해왔다. 그런데 이러한 딱딱한 고정관념을 깰 수 있게 해준 특별한 분이 계시다. 부산대학교 경영학과를 나와서 대기업의 해외주재원으로 시작해서 대표 자리까지 오른 전대주 대사이다. 전대주 대사는 2012년에 베트남 대사로 깜짝 발탁이 나서 모두를 놀라게 했었다.

내가 베트남 출장 때면 꼭 뵙고 싶은 분들이 있는데 전대주 대사도 그중에 한 분이다. 전대주 베트남 대사는 외교부 공무원이 승진한 케이스가 아니다. 한국과 베트남의 교류 역사를 속속들이 알고 있는 현지의 민간기업인 출신이 대사가 된 것이라 의미가 크다. 그는 18년 동안 ㈜LG화학 베트남 투자법인장 이후 호치민 한인상공연합회 회장을 역임했다. 나는 전대주 대사가 컨설팅 대표로 있을 때 알게 되었다. 우리 회사 베트남 현지법인도 그의 컨설팅 덕분으로 승승장구할 수 있었다. 대사로 발탁되었다는 소식을 듣고 기분이 너무 좋았다. 대사로 발탁된 동안에도 찾아가서 인사 나누고 폭넓은 조언을 청하고는 했다. 나는 여러 곳의 해외교민사회와 재외교민정책을 지켜본 사람으로서 이러한 인사정책에 박수를 보내고 싶다.

"무엇보다 베트남에 거주하는 동포들의 권익과 복리를 보장하기 위해 최선을 다하겠다"는 당시 전대주 대사의 인터뷰에도 갈채를 보내주었다. 현지에서 오랫동안 생활하고 능력과 인품을 갖춘 사람에게 책임을 맡기는 것도, 새로운 관례가 될 수 있겠다는 생각을 하게 된 계기이기도 하다.

전대주 대사를 통해 나에게도 거창한 꿈이 하나 생겼다. 외교부 출신이 아닌 민간인도 교민들을 위해 봉사할 수 있는 기회를 열어줄 수 있겠다는 생각을 한 것이다. 나를 비롯해 많은 민간인이 지금처럼 상하이에서 더 많이 봉사하고 교민들의 애로를 듣고 해결하기 위해 최선을 다하다 보면 대사나 총영사를 할 수도 있겠다고 생각한 것이다. 전대주 대사의 인사를 통해 해외에 나가 있는 민간인들이 그와 같은 꿈을 갖게 된 것이다. 전 세계를 백 바퀴도 넘게 돌면서 얻은 경험과 성공적인 사업에 대해 교민들과 나누는 꿈이 생긴 것만으로도 행복해진다.

전대주 대사와 함께 찾은 분은 이순흥 전 호치민 교민회장이다. 우연의 일치인지 나와 두터운 교분을 나누었던 정순영 박사와도 60년 지기 친구 사이라고 했다.

이순흥 회장은 작은 체구이지만 첫눈에도 다부져 보이고 한마디로 배짱과 열정이 멋진 분이다. 1975년 사이공이 함락될 때 현장을 지키며 한국 외교관들과 함께 교민을 보호한 사이공 교민 1세대의 상징 같은 존재다. 같은 해 1975년 4월 30일부터 1981년까지 6년간의 억류 생활에서 풀려나 한국으로 돌아왔다. 옛 월남시대의 마지막 잔류교민이면서 다시 베트남에 들어가 오늘날에 이르렀으니, 베트남 통일 후 진출 교민의 첫 세대라는 말이 틀림이 없다.

60년대와 70년대에 외국에 진출했던 사람들의 공통점이 그렇듯, 이순흥 회장도 덕수상고를 나와 한국외대 영어과를 졸업했다. 영어에 밝았던 것이다. 20대에 지프를 몰고 다닐 정도로 흥했던 그는 1968년 월남에 첫발을 내디뎠다.

운명의 1975년 4월, 사이공이 월맹군에 의해 해방되면서 미국과 한국도 서둘러 철수하던 그때, 공관원과 교민들의 철수를 돕다가 미군의 마지막 헬리콥터를 놓쳐버렸다. 재산을 두고 갈 수 없어 마지막까지 망설이던 교민들과 끝까지 있어야 할 책임이 있는 공관원이 뒤엉켜 며칠 동안 공포 속에서 보내야 했다. 그렇게 시작된 6년간의 억류생활 중에 재월한인자치회 회장으로 뽑혔고, 남다른 책임감과 리더십을 보여주었다. 모두 공개할 수는 없는 비화가 많고 당시 사실과 맞지 않는 부분도 많지만 그냥 덮어두기로 했다며 너털웃음을 짓는다.

1981년 동서냉전이 엄연하게 있던 시절에 한국으로 돌아온 그는 보국훈장 통일장을 받았다. 1993년에는 국가유공자가 되었고, 베트남에 대한 향수를 잊을 수가 없었다고 한다. 그리고 수교가 풀린 1994년에 베트남에 다시 들어가 여생을 사이공에서 마치게 되었다. 우여곡절 끝에 베트남 스튜디오 출신 여인과 결혼해서 고락을 함께했다. 베트남과는 이만한 인연이 또 없다. 얼마 전 세상을 먼저 떠난 사모님의 사진을 온 방 가득 걸어두고 있는 순정남이기도 하다.

술 한 잔을 놓고 베트남의 긴 역사를 잘 아는 1세대들이 마주 앉은 자리였다. 1937년생이니 곧 여든이 되는 나이인데도 이순흥 선생은 앉은 자리에서 소주 두 병에 레몬즙과 설탕을 첨가하여 큰 컵에 담아 후루룩 마셔버린다. 많이 먹고 많이 뛰는 열정가 체질인 것이다. 그는 1980년 산 벤츠300을 직접 몰고 다니는데, 그런 모습도 명품 인생처럼 느껴진다.

대륙을 넘나들며 두 분을 알게 된 것도 큰 인연의 힘이라 하겠다. 베트남 출장길이 잡히면 거장 두 분을 만나볼 생각에 설레게 된다. 나도 훗날 베트남에 살면 사람들이 베트남 세 번째의 거장으로 알아줄런지 모르겠다.

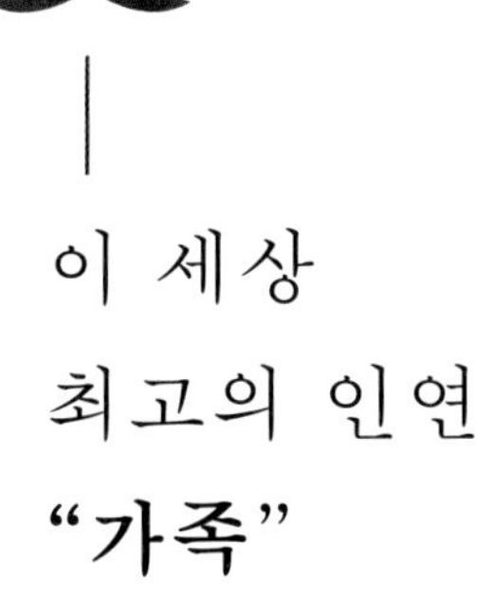

이 세상
최고의 인연
"가족"

우리에게는 선택할 수 없는 인연이 있다. 바로 가족이다. 아내와 남편은 선택할 수가 있어서 무촌인지는 모르겠다. 부모와 형제자매와 친척들, 자녀는 사람의 노력과 선택으로 어찌할 수가 없다. 나 같은 경우는 아내와 나의 인연마저 선택하지 않았다고 생각한다. 주위에서 우리 만남부터 부부의 연을 맺게 된 사실을 아는 지인들은 모두 그렇게 생각할 정도니 말이다.

이야기를 쓰는 내내 세 딸 이야기를 많이 했다. 딸 바보 아빠인 것을 숨길 수 없는 걸 어찌하랴. 나는 1952년 8남매 중 일곱째로 태어났다. 1966년에 나는 성동구에서 금호초등학교를 마치고 배명중학교에 들어갔다. 셋째 형은 대학에, 넷째 형은 고등학교에 재학 중이었다. 이때 큰형은 군 복무를 하고 있었다. 여동생은 초등학생이었고, 8남매와 부모님 모두가 즐겁고 건강하게 살고 있었다. 동네에선 그래도 약간 큰집으로 여유가 있어 세를 내주고 살았던 안온한 시절이었다. 아버지와 어머니는 다른 형제들보다 먼저 맏아들을 많이 챙기고, 의견을 많이 존중해주었다. 당시 대부분의 집에서 그렇게 '장자의 카리스마'를 확립해주었다. 우리 형제는 줄곧 깍듯이 큰형을 따라야 한다고 배웠고, 아우는 절대 형에게 대들지 못한다고 가르침받았다.

큰형은 군대 가기 전까지 동생들을 위해 열심히 일했고, 가족들의 기둥이 되어 책임을 다했다. 큰형이 군대에 간 이후로는 둘째 형(정재수)이 큰형 대신 동생들을 위해 힘쓰니 남들이 부러워할 지경이었다. 그런데 예기치 않은 일이 생겼다.

내가 중학교 2학년 때였다. 8남매를 건사하느라 매일 열심히 일하는 것밖에 모르시던 아버지께서 갑자기 뇌졸중으로 쓰러지신 것이다. 아버지께서는 61세를 일기로 사망하셨고, 우리는 아버지도 집도 공장도 죄다 잃고 말았다. 이 세상엔 확실히 불운이라는 게 있다. 나쁜 일은 항상 겹쳐서 온다는 사실도 그때 알았다. 넝쿨이 줄기를 뻗으면 사방으로 번지는 것처럼 아마 그때 불행이 넝쿨처럼 우리 집을 덮고 있었을 것이다. 나락이란 단어처럼 한 번 가세가 기울어지자 걷잡을 수 없이 굴러떨어지는 일들을 겪으면서 나는 소년기를 혹독하게 앓았던 듯하다.

그때 내게 특별한 존재는 셋째 형이었다. 집이 가난하면 효자가 나고, 나라가 어지러우면 충신이 난다는 말이 있다. 예나 지금이나 셋째 형은 확실히 그릇이 컸고, 가족에게 효자였고, 집안의 기둥이었다. 집안 사정이 말이 아니었다. 당시 대학교 2학년이던 형은 휴학하고 베트남전에 자원입대했다. 당시 베트남전에 나가 희생하면 3백만 원의 보상금이 나오는데 그 돈이면 집 식구들에게 널찍하고도 편안한 집을 마련해 줄 수 있다는 생각에서였다. 형의 한몸을 희생해서 가족의 삶을 편안하게 바꾸겠다는 생각으로 가족 몰래 죽으러 나가겠다는 것이나 다름없는 결정을 한 것이다.

셋째 형은 이렇게 죽기를 각오하고 베트남전을 자원했다. 형의 소속부대가 트럭 편으로 병영에 도착했다. 같이 간 병사들과 달리 형은 군 사령부에 뽑혀가 사령관 비서실에 배치를 받게 되었다. 당시 베트남 참전군 중 셋째 형이 유일하게 쓸 만한 대학생이라는 것이었다. 불행인지 다행인지 위험한 전투지와는 멀리 떨어진 곳에서 군 복무를 마치게 되었고, 가족을 위해 살

신성인하려던 '꿈'은 실현할 수 없게 되었다.

그 뒤로도 한동안 가족을 위해 고생했다. 형의 희생 덕에 가족 모두가 잘살게 되는 동기부여가 되어 참 다행이었다. 세상사를 많이 알게 된 오늘, 이 기회를 빌려 힘들고 어렵던 시절에 자기보다 가족을 먼저 돌본 형들에게 깊은 경의의 절을 올리고 싶다.

초등학교 6학년 때, 금호동 집 앞에서 가족들과

이렇게 희생하는 가족은 나에게만 있는 것이 아니다. 어려울 때는 가족밖에 없다고 한다. 우리 모두 어렵기 전에 가족을 더 잘 챙겨보는 시간을 가지면 좋겠다는 생각을 한다. 가화만사성이다. 가족이 화목하고 행복하면 밖에서 하는 일도 저절로 잘된다. 이것 역시 확신한다. 한 번 맺어진 가족의 인연은 영원하다. 죽어서도 가족이다. 행복한 가족을 위해 작은 노력을 기울여보길 당부하고 싶다.

나는 지구를 백바퀴도 넘게 다닐 수 있는 거리를 돌아다녔고,
앞으로도 백바퀴는 더 돌 것만 같다.

책 제목을 확정하지 못해 출판사와 여러 가지를 상의하다가, 거의 20년 동안 내 트레이드마크였던 '콧수염'을 제목에 넣기로 했다. 결국 제목은 "상하이 콧수염의 지구 백바퀴"가 되었다.

내가 살아온 지 65년 만에 나의 이야기를 담은 책을 펴내게 된 것이다. 책을 내야겠다고 생각하고 집중한 지 2년 만이다. 어릴 적부터 모아놓은 사진과 자료를 정리하고 수백 장에 이르는 기사와 편지를 모아 정리했다. 원고를 작성하고 정리하는 기간에도 해외 출장은 오히려 늘어났다. 곧 출판된다고 말해놓은 사람들에게 허튼소리만 하는 게 아니었는지 걱정스럽기도 했다. 한국과 중국에서 개통한 휴대폰 메모장에 틈틈이 적어 내려갔고, 현장 숙소와 집에 도착하면 컴퓨터에 옮기고 수정하는 일을 반복했다. 드디어 원고는 내 손을 떠났고 인쇄소에서 곧 책으로 나온다. 섭섭한 것이라고는 하나도 없고 시원하고 후련하기만 하다.

나는 지구를 백바퀴도 넘게 다닐 수 있는 거리를 돌아다녔고, 앞으로도 백바퀴는 더 돌 것만 같다. 어느새 반백 살 된 나이지만, 마음은 청년보다 더 청년이 된 것같이 바쁘기만 하다.

젊은 시절 한국을 떠났던 나는, 미국에 거점을 둔 교포 신분이 되어 영국과 미국을 오가며 많은 것을 배웠다. 1990년대에 들어서는 '세계의 공장'이라고 불리는 중국에 진출해서 역사적 현장의 한가운데에도 있게 되었다. 문화대혁명을 치른 이후 일대 반전을 꾀하고 나선 중국은 20세기에 힘을 모으더니 21세기 초반 10년 사이에 미국과 양대 산맥을 이루었다.

우연의 일치인지 나는 1978년부터 2000년까지 세계를 주름잡던 팍스아메리카나 시대에 미국과 영국에 머물다가, 21세기 시작과 함께 발전하는 중국 상하이에서 터를 잡았다. 이제 중국에서 울고 웃으며 지낸 지 15년이 지났다. 나는 중국 전역을 다니며 위로는 심양, 북경, 청도, 연태, 위해를 거쳤다. 2012년에는 서부 지역 대개발로 새로운 경제 중심지로 떠오른 서안에서 일을 시작해서 지금도 계속 진행 중에 있다. 중국의 아래로는 상하이는 물론, 승용차로 4시간 걸리는 남경을 비롯해 무석, 소주, 복주, 장사를 돌았고 광주 동관(심천 근처)까지 손오공처럼 동에서 번쩍 서에서 번쩍 수없이 다니면서 중국을 조금이나마 알게 되었다.

중국에 있던 중에도 2008년부터는 베트남에도 진출해서 호치민부터 사업을 시작했다. 현재는 하노이에서 수년째 사업 중이다. 베트남에 현지 법인을 두었고, 필리핀, 캄보디아, 말레이시아, 몽골, 헝가리까지 현지법인을 설립했다. 추후에는 태국과 인도, 미얀마까지도 진출할 생각이다. 경제가 발전하는 나라들을 따라서 영국부터 대서양을 거쳐 미국으로 다시 또 태평양을 건너 일본과 한국. 황해를 건너 중국, 이제는 동남아시아까지 두루 섭렵하며 돌아다니고 있다.

어여쁜 아내와 극적으로 상봉하며 예쁜 세 딸을 얻은 것만으로도 축복인데, 큰딸은 미국에서 변호사가 되었고, 둘째는 2010년도 미스코리아 서울선과 본서에서 진에 당선이 되어 아빠 눈에만 예뻤던 게 아니었음을 증명하기도 했다. 셋째도 언니 따라 미스코리아 서울 미에 당선이 되면서 나를 미스코리아 진선미 그랜드슬램을 달성한 아빠로 만들어주기도 했다.

내 나이가 어느덧 환갑이 지났는데, 또다시 지구 백 바퀴 도는 것을 꿈꾸게 되었다. 아시아의 작은 나라에서 태어나, 정신없이 지구를 돌아다니며 우리나라의 고도성장을 안팎에서 본 나이다. 내 삶은 세계의 변화와 맞물려서 움직였다. 지금은 나라와 나라의 경계가 없어졌다. 수교가 되기 전부터 움직여본 나이 든 경험자가 우리나라 젊은 청년들에게 간곡하게 당부하고 싶었기에 책을 낸 거라고도 말할 수 있다.

세계로 나아가는 것에 두려움을 갖지 않길 바란다. 외국에서 말 한마디 할 줄 몰라도 진심이 통하는 경험을 많이 했다. 말은 그 나라에 가면 저절로 배워지기 마련이다. 진실하고 용감한 젊은이라면, 무조건 떠나서 조국에 이익을 주는 삶을 만들어 보라고 말하고 싶다.

내가 지구를 백바퀴 돌며 배운 것은 이것이다. 이 말을 젊은이들에게 다시 전한다.

"공부를 하려면 미국으로 가고, 역사를 알려면 중국으로 가고, 돈을 벌려면 이제 동남아시아로 가라."

나는 모질게 마음먹고 고국을 떠났었고, 이제는 고국의 젊은이들에게 귀향 이야기를 전하는 것이라고도 생각한다. 오랜 시간을 외국에서 보낸 후, 내 고향인 서울의 금호동으로 돌아왔을 때 나는 이전에는 떠올린 적이 없는 '금의환향'의 느낌을 받았다. 가난하고, 왜소했던 나는 완전히 달려져서 돌아왔다. 가난해서 힘들었지만, 결코 잊고 싶지는 않은 기억이다. 그 시절이 또한 나를 만들어 주었다. '돌아온다'는 건 마지막을 지칭하거나, 끝을 의미하는 게 아니라고 생각한다. 그렇게 고향에서 좋은 기운을 받은 것이, 더 넓은 곳으로 나아갈 힘을 받은 것과 같다.

井中之蛙 不知大海 (정중지와 부지대해)
우물안 개구리는 넓은 바다를 알지 못한다.

세계는 정신없이 변하고 있다. 젊은이들이 국내 취업만을 목적으로 밤잠을 설치지 않았으면 좋겠다. 미국도 좋고, 중국도 좋다. 지금 뜨고 있는 동남아시아도 좋다. 무조건 떠나보자. 내 회사는 한국을 잘 떠나서 잘 운영한 기업체로 인정받아서 유턴 기업으로 선정되기도 했다.

시간은 격류처럼 흐른다. 변함없는 사실은 '모든 일은 사람으로부터 시작된다'는 것이다. 사람의 첫 마음을 여는 것은 유쾌한 유머이고, 상대를 진실하게 대할 때 정직한 보답이 온다는 믿음이 있다. 이 사실만 놓지 않는다면 어느 하늘 아래 서성거린다고 해도 그보다 큰 부자가 어디 있으랴. 사랑하는 딸들에게도 내가 물려줄 가장 큰 유산도 바로 이런 믿음이다. 내 딸들 또래의 젊은이들을 만나면 모두가 아들 같고 딸 같은 마음이 드는 것은 비단 나 혼자만의 생각이 아닐 것이다.

모쪼록 이 책이, 청년들에게 자신감을 심어 주고 각자의 길을 스스로 개척해 나가는 데 도움 되었으면 한다. 그렇게 된다면 내 삶에 커다란 행운 하나가 더해지는 것과 마찬가지라 생각한다. 세상 모든 것이 내 가슴 안에 있다고 자랑하면서도 부끄러운 생각이 들기도 하는 책이 세상에 나오게 되었다. 하지만 나는 자랑도 부끄러움도 길게 생각할 시간이 없다.

'저곳이 내가 또 도전해야 할 나라구나!' 생각하며 여권을 챙기는 나, 상하이 콧수염.

샌프란시스코 전경을 바라보며 주먹을 움켜쥐던 청년시절처럼, 나는 오늘도 새로운 도전을 찾아 땅을 박차고, 구름을 뚫고, 하늘을 나는 비행기를 갈아타고 있다.

상하이 콧수염의 지구 백바퀴

초판 1쇄 인쇄 2016년 10월 21일 / 초판 1쇄 발행 2016년 10월 28일
지은이 정한영
발행인 유준원
고문 강원국
편집 장선아, 이지현, 박주연
디자인 이완수
발행처 도서출판 더클
공급처 명문사
출판신고 제2014-000053호
주소 서울시 금천구 디지털로9길 65 백상스타타워 1차 511호
전화 (02) 6213-3222
팩스 (02) 6111-3919
전자우편 thecleceo@naver.com
홈페이지 www.theclebooks.com

ISBN 979-11-86920-11-4 (03320)

이 도서의 국립중앙도서관 출판예정도서목록(CIP)은 서지정보유통지원시스템 홈페이지(http://seoji.nl.go.kr)와 국가자료공동목록시스템(http://www.nl.go.kr/kolisnet)에서 이용하실 수 있습니다. (CIP제어번호 : 2016024816)

독자님들에게.
2016.10
정한영